クワバタのくびれダイエット

コアリズムで
こんなにやせた！
キレイになった！

ダイエットに
成功した秘けつ
全部公開しま〜す！

RIE KUWABATA

いままでダイエットを
失敗し続けてきた
クワバタがくびれました！

BEFORE

Waist
85cm

Body Weight
63.1kg

腰ふって、
1か月半でウエスト−20cm！
リバウンドなし

やせた上に、お肌もスッベスベ。

だから、いままでやりたくても
できなかったことに
挑戦してみました！

次のページへ

自分でもびっくり！
これってホンマに私？

ウエストがくびれてくのは
けっこうキモチいい！
楽しくダイエットしよな〜！

クワバタくびれレコーディング

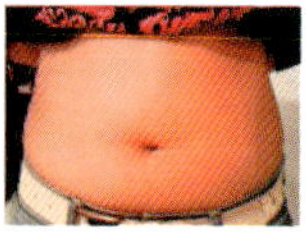
2日目
w=81.3cm

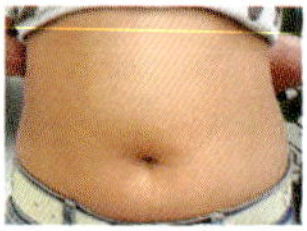
4日目
w=80.2cm

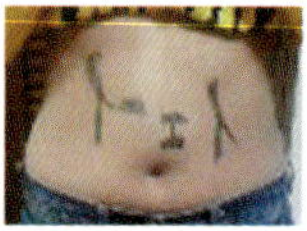
6日目
w=77.6cm

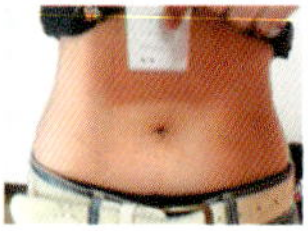
7日目
w=77.4cm

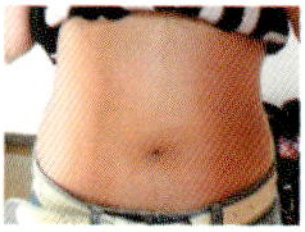
8日目
w=76.6cm

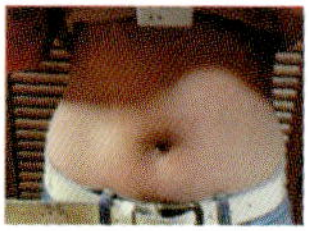
9日目
w=77.6cm

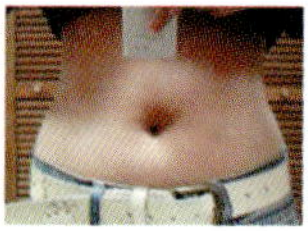
12日目
w=75.2cm

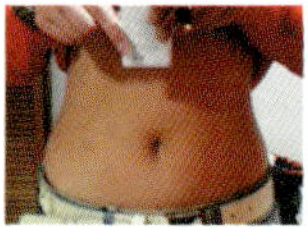
13日目
w=74.8cm

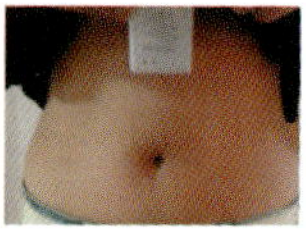
14日目
w=74.8cm

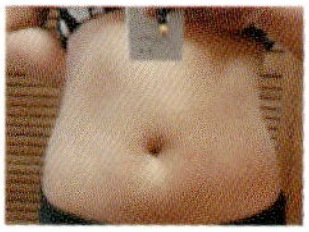
17日目
w=74.2cm

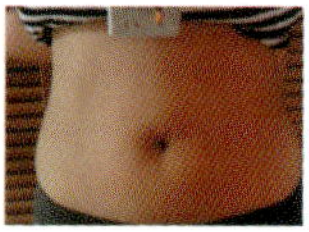
21日目
w=72.8cm

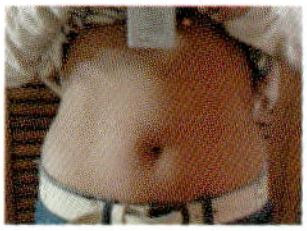
23日目
w=73.6cm

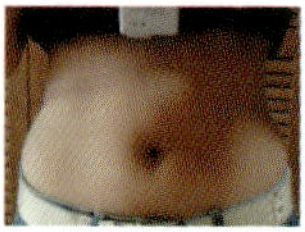
24日目
w=72.8cm

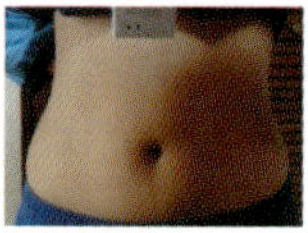
25日目
w=72.1cm

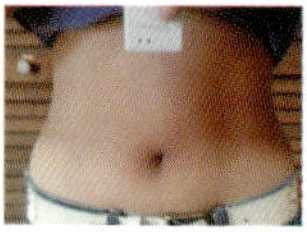
28日目
w=72.0cm

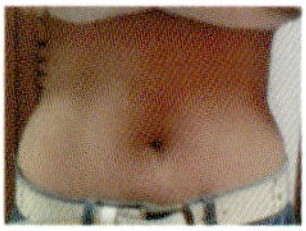
30日目
w=72.2cm

2日目～64日目

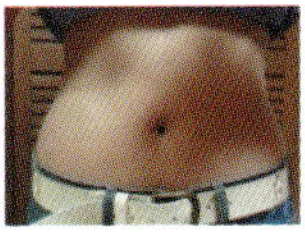
36日目
w=71.2cm

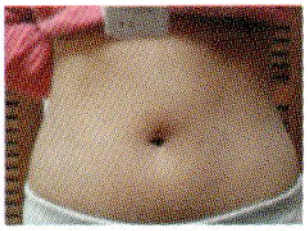
34日目
w=71.7cm

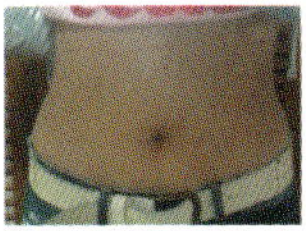
33日目
w=71.5cm

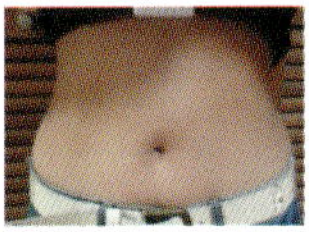
31日目
w=71.7cm

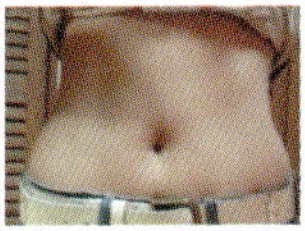
41日目
w=68.7cm

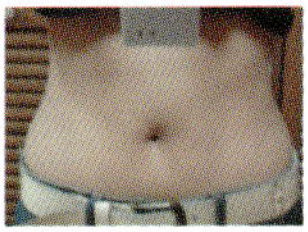
40日目
w=69.5cm

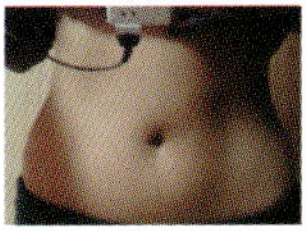
39日目
w=69.9cm

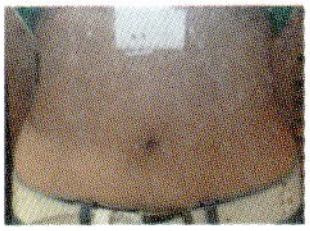
38日目
w=70.1cm

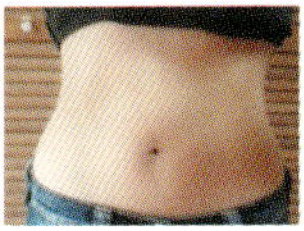
55日目
w=65.0cm

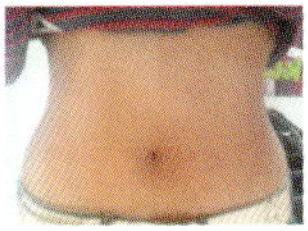
49日目
w=65.5cm

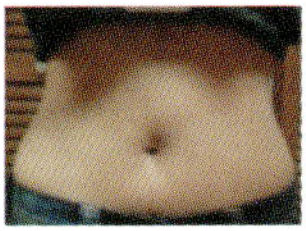
47日目
w=65.4cm

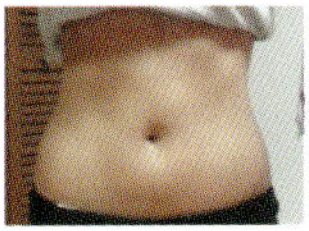
43日目
w=67.2cm

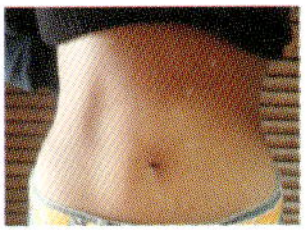
64日目
w=65.2cm

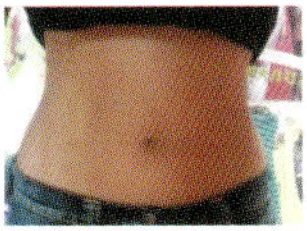
63日目
w=65.2cm

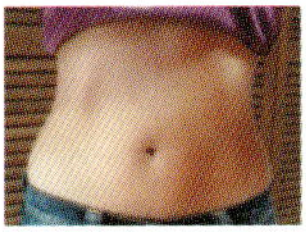
60日目
w=65.6cm

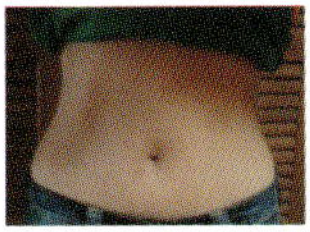
58日目
w=65.8cm

156日目～220日目

クワバタくびれレコーディング

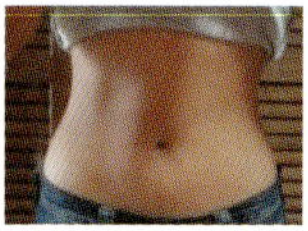

166日目
w=64.2cm

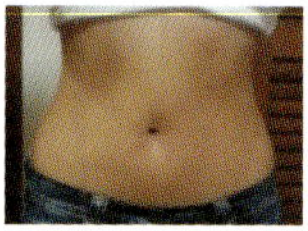

165日目
w=64.2cm

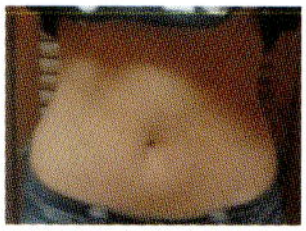

160日目
w=64.2cm

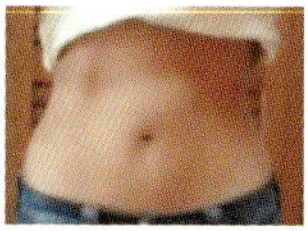

156日目
w=64.2cm

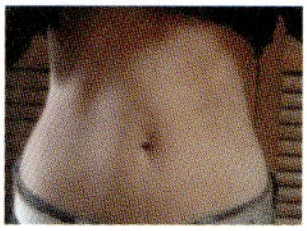

180日目
w=64.2cm

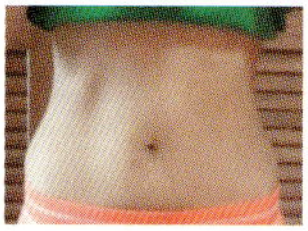

178日目
w=64.2cm

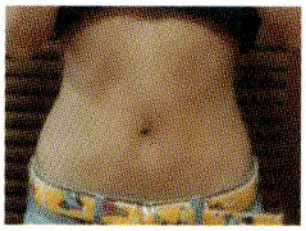

173日目
w=64.2cm

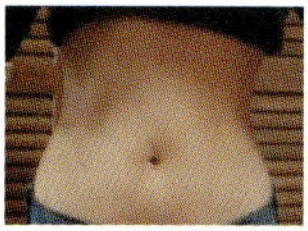

168日目
w=64.2cm

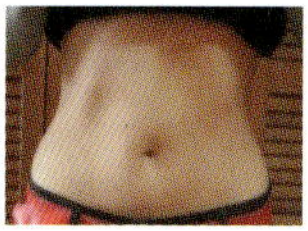

189日目
w=64.0cm

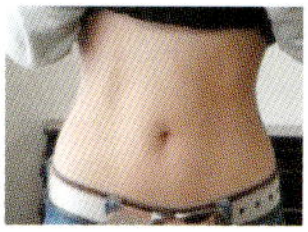

184日目
w=64.2cm

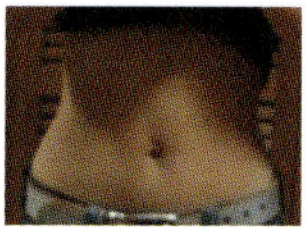

183日目
w=64.2cm

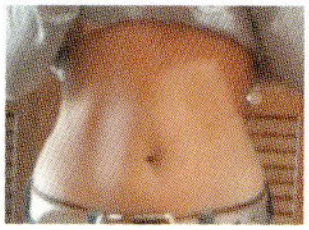

182日目
w=64.2cm

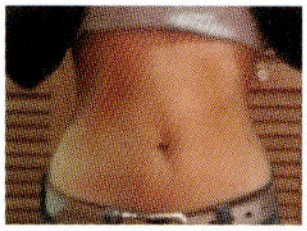

220日目
w=64.2cm

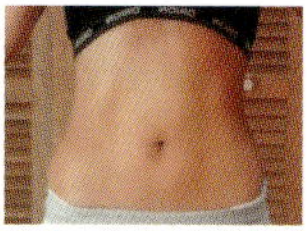

218日目
w=64.2cm

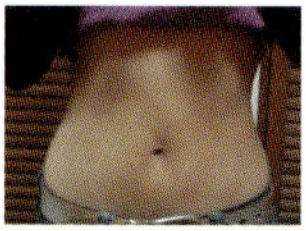

208日目
w=64.2cm

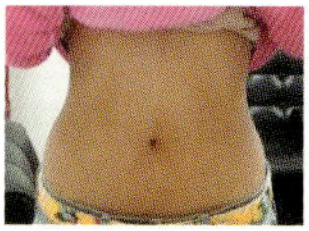

199日目
w=64.2cm

はじめに

もうデブとは言わせない。これが私の最後のダイエット

「くびれ大作戦」0日目のウエスト85㎝、45日目65・4㎝、154日目から今日まで、20・8㎝減の64・2㎝をキープ中！

ちょっとコレ、すごくない？　しかも、ダイエットを楽しみながらのこの結果。

それだけじゃないよっ!!

表紙やグラビア（キャ〜、アイドルみたい？）を見てもらえばわかる通り、ウエストの数字はずっと64・2㎝のままでも、
お腹がめっちゃ引き締まって、無駄なお肉が減っていってるぅ〜♪

しかもしかも、腕や太ももももいい感じにキュッと絞れてきてると思わへん？

ワタシの周りの人はもう見慣れてるから、自画自賛するしかないねん（笑）。
それにしても正直な話、ここまで自分ができる子だとは思ってなかった。
つくづく思うけど、運動したのがよかった。
これまでのダイエットでは食事制限↓リバウンドの繰り返しだったけど、
体を引き締めて痩せやすく変えていくには、運動しなきゃダメ。
もちろん、食事を見直すことも大事だけど、食べないのはアカンよっ!!
運動……、ワタシの場合はコアリズムだったけど、
コアリズムをやって汗を流すとスカッとして、ストレスが溜まらへん。
腹筋が鍛えられてる！　カロリーを消費してる！っていう実感があるから、
大好きな唐揚げを1日に1～2個食べるぐらい、ぜんぜん気にならない!!
運動で体が引き締まって、気持ちも前向きになって、好きなものも食べられて。
こんなにシアワセなことって、ないやん？　ねぇ？

自分でもびっくりするほど楽しく痩せられたのが嬉しくて、
「くびれ大作戦」と同時に始めたブログ「くわばたりえのやせる思い」では、

ダイエットのことをダイエットとは呼ばないルールを作りましたぁ〜。
ワタシのあだ名〝バタヤン〟をもじって〝バタる〟って呼んでるねん!!
それは何でか。過去、数々のダイエットに失敗してきたワタシにとって、
ダイエットという言葉には、苦しい、つらいっていうイメージしかない。
でも、今回のダイエットでは、嫌な思い出になってしまっている過去を
払拭したかったし、もう二度とリバウンドしないことを目指していたし、
自分の心と体を傷つけることは絶対にしたくないと思ってた。
だから、ブログの中だけでもいいから、ダイエットって言いたくなかってん。
この本の中では、「バタるって何?」っていう人もいるだろうから、
一般的に使われるダイエットという言葉を使ってるけど、
この言葉に抵抗がある人はぜひ、〝バタる〟に置き換えて読んでみてください。
そしてこれから〝バタる〟を広めていってください(笑)。
そしてそして、この本を読んだ人、ひとり残らず健康的に痩せようなぁ〜♪

くわばたりえ

目次

第1章 キレイになって見返してやる！

あらゆるダイエットに手を出し、挫折や失敗、リバウンドを繰り返してきた過去とはお別れ！　人生最後のダイエットは、笑顔で楽しく！

我が人生に痩せ期なし

ワタシの体重の歴史

ワタシ、今までの人生で「細いね」って言われたこと、一度もない。
小6で50kgあったし、そこから先40kg台に戻ることがなかった。
中学でソフトボール部入って、少し痩せて、中3で部活引退して、
運動やめても食べる量がまったく変わらないから、当然太って。
高校でまたソフトボール部入って痩せて。高校卒業したらグングン太って。
わっかりやすいやろ(笑)。
部活やってて痩せたって言ってもあれやで。ソフトボール体型ってわかる?

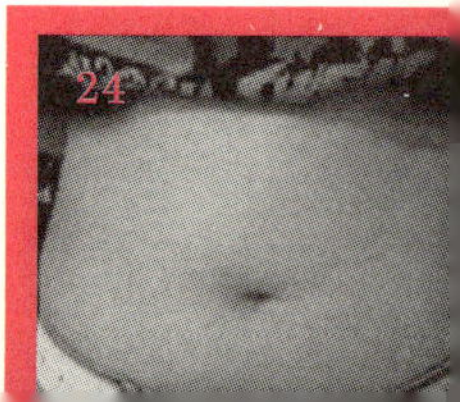

北京五輪のソフトボール選手で、細い子ってほとんどいなかったでしょ？
あれと同じ。筋肉で引き締まってるけど、下半身ドッシリ、みたいな。
今までのワタシの人生の中では、それが細いっていう意味。
高校卒業して、18歳で大阪のNSC入ったときは（最初は吉本所属でした！）、
63kgぐらいあったと思う。偶然だけど、コアリズム始める前の体重と同じ！
そこからは、60～63kgを行ったり来たり。
ちょっとダイエットして痩せて、また戻っての繰り返し。
それが、22歳のときだったかな。東京に出てきて一人暮らしを始めてん。
そしたら、お金なくてバカバカ食べられなくて、気持ち痩せて。
60kgをキープしてた24歳の頃、テレビのダイエット企画に挑戦したのよ。
〝1カ月で10kg痩せたら、リポーターの仕事をくれる〟
売れない芸人にしたらこんな魅力的な話はないねんっ。そりゃ頑張るわっ。
毎日歩いて泳いで食べるのめっちゃ我慢して、どうにか10kg痩せました。
終わった日からめちゃくちゃ酒飲みました。**1カ月で元通りやっちゅーねん!!**
これじゃ、ダイエット成功とは言えないもんなぁ……。

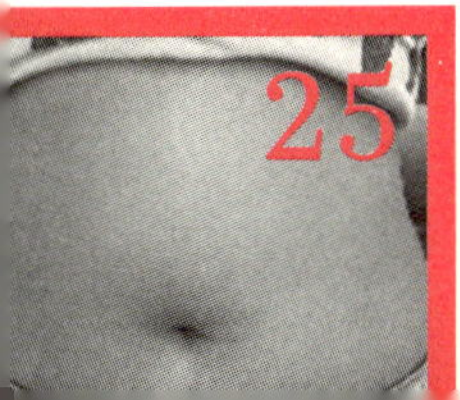

ある瞬間、痩せたくなるのが女心

みんなは「よし、ダイエットするぞ！」って決意するのは、どんなとき？
ふとした瞬間に「このままではアカン！」って、思うときがない？
ワタシはほとんどそのパターン。
ある日突然、「うわっ、ワタシ太ってる」って気づく。
たとえば、ショーウインドウに写る自分の姿がオッサンに見えたり、
一緒にいる友だちにパーカーを貸したら、めちゃめちゃ余裕があって、
ワタシ以上にかわいく着こなしているのを見たときだったり……。
「細いというだけで、こんなに服が可愛く見えるもの？」って
気づいたときのショック!!　これはダイエットの動機No・1かもしれない。
お洋服屋さんに行って、店員さんが着てるTシャツが可愛くて買って帰って、
家で着たらピッチピチでちっとも可愛くない、とか。
ワクワクしてた分だけ凹むし、自分が太ってる現実を突きつけられる。

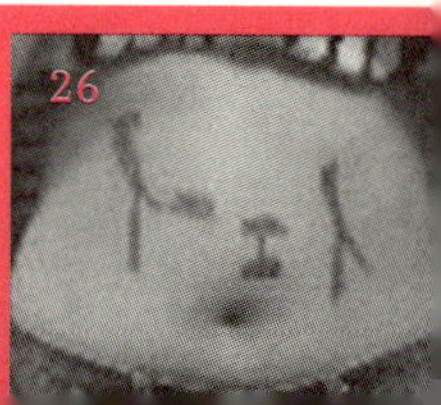

あとは、そんなに経験豊富なわけじゃないけど、
やっぱり、男の子の言葉っていうのも大きくない？
20歳のとき初めて付き合った彼に、バイクの後ろに乗せてもらったの。
そしたら、〝ちょっと、今までの女の子と違う……〟みたいな雰囲気になって。
後ろに乗る人の体重で、バイクの進み具合がどうも違うらしい……。
ウブだったワタシはそのことに傷ついて、ダイエットした記憶はあるんだけど、
どれだけ思い出そうとしても、残念ながらこれが痩せた記憶はない（笑）。
たぶん当時は、仕事＞恋愛だったこともあるだろうし、
ちゃんとしたダイエットの方法を知らなかったというのが大きいと思う。
お金もないから、りんごとかの単品ダイエットに走って、
3日ぐらいは頑張るけど、4日目には食欲が大爆発して、ダイエット終了。
おそらくそんな感じだったと思うわ。
そういうムチャなダイエットばかり繰り返してきたから、
ダイエットは苦しいものって思うようになってしまってんな、きっと。
振り返ってみると、**過去の自分に教えられることがいっぱいある**。

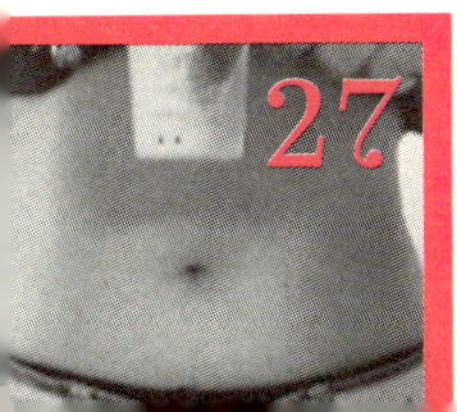

過去の失敗を今に活かせば財産だ！

りんごダイエット、こんにゃくダイエット、その他単品系ダイエット。

食事制限。飲むだけで痩せる薬3カ月分。トカちゃんベルト。

何万円もする補正下着。座るだけで痩せる椅子。

お腹に巻くだけで腹筋運動できるアレ。乗ってるだけで痩せる乗馬型のアレ。

今までいろんなダイエットにいっぱい手を出してきて、
成功したのはただのひとつもない……。

食べなければ確かに痩せる。だけど、確実にリバウンドもする。

ダイエットグッズも使い続ければ、きっと効果があるに違いない。

だけど、頑張っている実感を得にくいからワタシは続かないし、
もっとすごいのは、**通販番組見て電話で注文した時点で、痩せた気になってる**。

座るだけ、乗るだけなのになんで続かないの？って自分でも思うけど、
いつでもできると思ったら、意外にやらないのが人間ってものなんかなぁ？

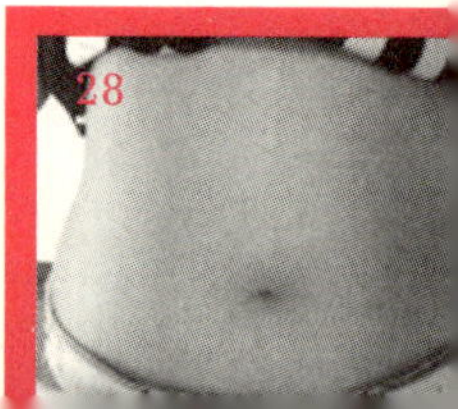

近所に動物園があったら、いつでも行けると思って行かないのと一緒やんな。

結局「○○するだけ」、「○○食べるだけ」っていうダイエットに飛びつくのは、ラクして痩せたいという**自分の甘え**があるからなんだと思う。

その甘えがある限り、やっぱり理想の体は手に入らないのと違うかな。


それにしても、あらゆるダイエットに手を出しては挫折しております。

なんだかんだで、この10年間で**１００万円は使ってる**計算になる。はぁ〜。

お金のない芸人にとって、１００万円は大きかったはず……。

なぁんて、落ち込んでいてもしゃあない。
大事なのは、同じ失敗をこれ以上、繰り返さないこと。
ワタシは物を捨てられない性分で、ダイエットグッズもほとんど家に残ってる。
それを反省材料にして、もう二度と、モノとかだけに頼る
ダイエットには戻らないって、ここでみんなに誓います!!

太ってる人は、やっぱり、食べている!?

食事制限、絶対禁止!!

ワタシな、これまでに無理な食事制限を、いっぱい、いっぱいいしてきてん。
特にさっきも書いたけど、**1カ月で10kg痩せたときは最悪やった。**
毎日たくさん歩いて、いっぱい泳いで、食事はバナナ1本とか。
そりゃあ痩せるけど、「やつれてない？　怖いよ」とか、みんなに言われて。
挙句、**髪の毛もごっそり抜けて**……。
そして、1カ月と1日目から、連日連夜飲みに行った……。
最初の2〜3週間は体重に変化がなくて「あれ？　痩せ体質になった？」って

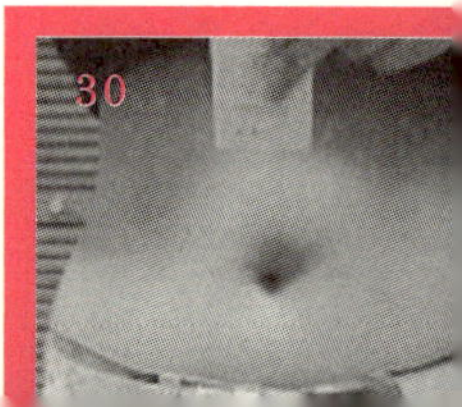

調子に乗って食べたり飲んだりしてる間に、
ふと気がつくと3kg、5kgって増えていって……、完全にリバウンド。
我慢したらした分だけ、その反動は大きい。それは経験済みやねん。
だからこそ、今回のダイエットでは気をつけようと思ってた。思ってたのに
始めてすぐは気持ちの焦りから、極端に食事を減らそうとしてしまった……。
大好きなお酒も唐揚げも我慢して、サイズが減らないとご飯食べなかったり。
やっぱり、結果を出さなくちゃっていうプレッシャーもあったと思う。
それが、今回のダイエットをドーンと発表した
「くびれます記者会見」(2008年4月8日)の8日後のこと。
信頼しているダンスのヒロコ先生から「今のやり方だとリバウンドする。
頑張っているくわばたさんを見ているから、絶対にリバウンドしてほしくない。
だから、**お酒も好きなら飲みなさい**」そう言われて、泣いた。
危うくワタシ、同じ過ちを繰り返すとこだった。
でも違うねんな。**ワタシは今痩せたいんじゃなくて、1年後も痩せていたい**。
そのためには、一生続く方法でなきゃダメだということなんやね。

太ってる人は、やっぱり、食べている!?

1日1～2個の唐揚げは許そぅ！

食べ物に対する認識をあらためてから、人の食事風景をよぉく観察してん。
そして、女芸人がいっぱい集まる番組の楽屋で、ついに法則を発見!!
ワタシや森三中、ハリセンボンの春菜ちゃんは**お肉の弁当を選びます**。
相方の小原さんやだいたひかるちゃん、彼女らは**お魚の弁当を選びます**。
やっぱり、細い子は細くなる生活を、
太っちょタイプは、太るような生活をしてるねん。
素直なワタシはそのことに気づいてから、お魚の弁当を選ぶようにしました。
だ～け～どぉ、やっぱり、物足りないぃ～～。
今まで太っていただけあって、揚げ物がめっちゃ好きやねん。
だから、誰かが隣りで唐揚げ食べてるのを〝いいなぁ〟って横目で見ながら
食べてたら心はすさむし、食事の時間がちっとも楽しくない。
確かに、食べるものに気をつけてたら1kgぐらい減るかもしれないけど、

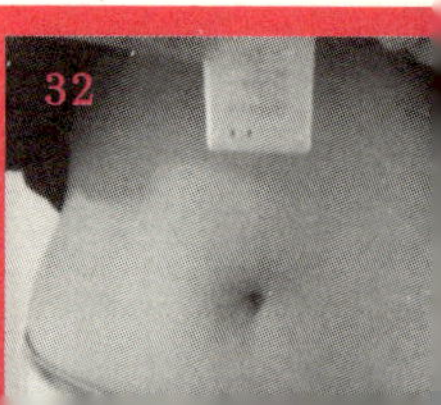

食べたい気持ちが爆発したら、フライドチキンを一気食いしてしまうねん。
そう考えたら、我慢するばっかりが正解とは思えないでしょ？
ありがたいことに、ワタシにはナイスバディの相方がいるので、
唐揚げ弁当の唐揚げ4個のうち2個を小原さんにあげて、
小原さんのお魚を半分わけてもらうことにしたんです。LOVE相方♡
1個か2個の唐揚げを噛み締めて食べるでしょ。
そしたら**「唐揚げって、こんなに美味しかったんやぁ〜〜」**って感動するし、
味わって食べるから、たった1個や2個でも満足できるねん。
単純だから、好きなもの食べてたら、食事の間中幸せな気分でいられるし。
ワタシの場合は唐揚げだけど、コロッケとか天ぷら、人によっては大福とか、
自分の好きな食べ物を1日1種類だけ食べるのを許してあげていいと思う。
そりゃね、大好物だからって、昼にコロッケ1個、3時のおやつに大福1個は、
自分を甘やかし過ぎだと思うけど、どっちかひとつぐらいだったらよくない？
それか、今日は昼にコロッケ、明日はヘルシーご飯にしておやつに大福とか、
自分なりの甘やかしルールを作って苦しくないダイエットを目指そうな。

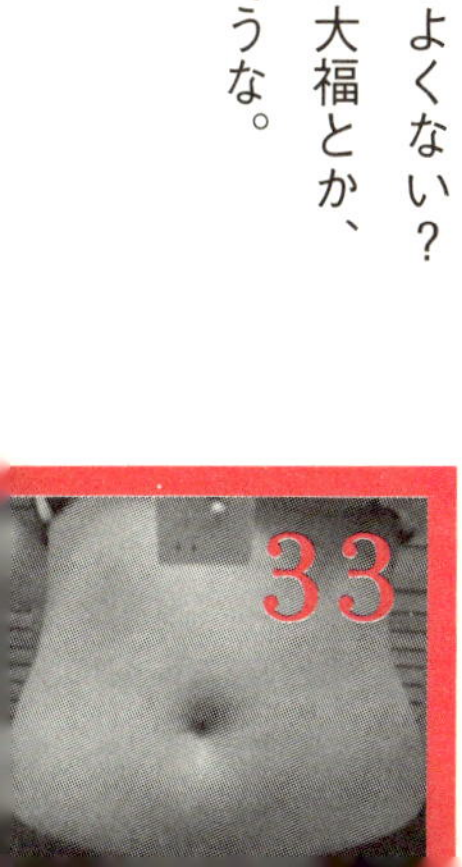

己を知ることがダイエットの近道

考えることって、大事やで！

なぜ、今回、ワタシのダイエットが成功したか。
もちろん「人生最後のダイエット」という、強い決意もあった。
だけどいちばん大きかったのは、「くびれます記者会見」をしてから、
ブログ「くわばたりえのやせる思い」を始めたことだと思う。
「何センチ減ったよ」って報告する相手がいて、一緒に喜んだり、
停滞期で苦しんでるときにたくさんアドバイスをもらったり。
喜怒哀楽を共有する人たちがいたから、途中で投げ出さずにすんだと思う。

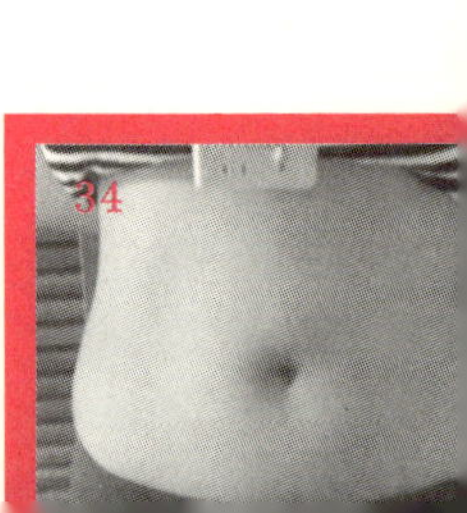

ありがたいことに、ブログにみんながいろんなコメントを寄せてくれて。
みんなのその優しい気持ちに応えたいと思って、いろいろ考え始めたら、
その考えることが、結果、自分のダイエットにも役立って。
たとえば、「夜中、お腹が空いてどうしても我慢できません」っていう子がいて、
どうしたら我慢できるかなぁって、仕事の移動中に考えるわけ。
そうすると、まず自分はどうかなっていう発想になる。
自分の場合は、今回はダイエットの意志が固かったから、
夜9時以降食べないっていうのは、割と苦労なくクリアしてるなぁ。
でも、以前は我慢できなかったのはどうしてだろう。
やっぱり、あれもこれも食べちゃダメって抑えつけてた反動が大きいなぁ。
そんなふうにして考えていくと、自分にとってベストな方法が見えてくる。
だからみんなにも、**ダイエットを成功させるために考えてみてほしい**。
最初から自分のことと思うと頭が固くなるから、
もし、友だちにこう相談されたどう答えるかな？ぐらいの感じがいいと思う。
夜中、食べたくて仕方がない友だちに何て言う？　ちょっと考えてみてっ。

己を知ることがダイエットの近道

自分のダイエット史を振り返ろう

自分がこれまでしてきたダイエットを振り返ることも、
成功するダイエットに近づくいいきっかけになると思う。
ワタシの場合もそうだったでしょ?
なんでダイエットグッズを買っても続かないのか、めっちゃ考えたもん。
極端な食事制限でことごとくリバウンドしている理由はなんだろうって、
嫌になるほど考えたわ。
考えてるときは、自分の弱さに突き当たったりして落ち込むこともある。
だけど、そこを通らなければ、自分らしいダイエットにはたどり着かへん。
ちょっと真面目な話になってしまうけど、
ワタシな、この本を読んでくれてる人みんなが、コアリズムでも何でもいい、
今してるダイエットが「**人生最後のダイエット**」になってほしいって、
本当のホントに、そう思ってるねん。

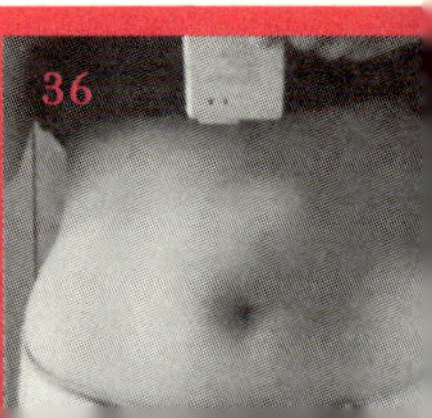

痩せてリバウンドの繰り返しばかりの人生、誰だって嫌じゃない？
いつまでも、「ダイエットはつらい」って思ってるのも嫌じゃない？
今までいっぱいダイエットして、そのたびに失敗して、
そんなワタシだって、こうやって健康的に痩せられる方法を見つけられた。
みんなのおかげで頑張れて、楽しく続けることができて。
ホンマにみんなに感謝してるし、ワタシも苦しい経験いっぱいしたから、
苦しくないダイエットの方法もあるよって、みんなに伝えたいだけやねん。
でもな、一生モノのダイエットにするためには、
どうしても、この「考える」というステップを外すわけにはいかへん。
考える間だけ、もしかしたらちょっと苦しむかもしれないけど、
そこを突き抜けたら、あとは心がスーッと軽くなってるはずやから。
この先、自分らしく、楽しく、健康的なダイエットを続けていくためにも、
どうか考える力をつけてほしい。
ワタシからいくつか質問するから、時間があるときに考えて、
答えを書き込んでみてな〜。

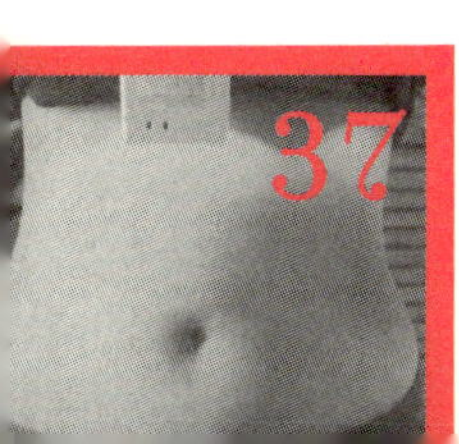

成功するダイエットのためにバタヤンからみんなへの質問

Q.1

今までに挑戦したダイエットを、
思い出しながら書き出してみよう！

Q.2

今までのダイエットで、いちばん楽しくできたものって、ある？　それは、何が楽しかったのか、ちょっと考えてみてな。

Q.3

これまでのダイエットで、いちばん苦しかったのは何？　どうして苦しいと感じたのか、つらいけど、思い出してみようなぁ。

Q.4

昨日１日、何を食べたか思い出しながら正直に書いてみよっ！　書き出した中で、別に食べなくてもよかったなぁ〜という食べ物はない？

Q.5

早食い、大食い、余計なつまみ食い。自分がしてしまいがちな時間帯や場所、相手、状況。思い出したときに書き溜めてみたらどう？

A.1

A.2

A.3

A.4

A.5

Q.6

ダイエット中でも、食べていいことにする好きな食べ物を決めましょか。

Q.7

平均的な１日のスケジュールを書いてみてなぁ。

Q.8

１日の中で、無理せずに運動できる時間ってどれくらいあると思う？　隙間の時間を使えば、意外にあると思わん？

Q.9

運動が続かないのって、何でなんやろう。設定に無理がある？　自分にノルマを課しているから？　少し考えてみてぇ。

Q.10

なぜ、痩せたいと思うのか。理由を３つ挙げてみて。

Q.11

痩せたらどんなことをしたいか。3つ挙げてみよう。

A.6

A.7

A.8

A.9

A.10 •
•
•

A.11 •
•
•

証言者_1　クワバタオハラ　小原正子

Q. なぜ、くわばたりえは太ったと思いますか？
油モノが大好き。酒飲みながらも油モノをばくばく。

Q. 太っていた頃の印象深いエピソードを！
・「朝起きたらアメリカンドッグの棒が何本も転がっていた」と聞いた。酔っ払って無意識に食べていたらしい……。
・魚の弁当を食べ終わってから「油が足りない!!」と揚げせんべいをボリボリ食べていた。

Q. 今回のダイエットが成功すると思っていましたか？
思っていない。何度も失敗してるのを見てきたから、とりあえずきっかけは仕事だし、10cm ぐらいは痩せてや～と心配していました。

Q. ダイエット中のくわばたりえの様子は？
踏み切りの待ち時間、踏み切りのリズムに合わせてコアリズムをしてしまうほどハマっていた。

Q. ぐんぐん痩せていく相方を見て、どんなことを思った？
ヤバイ!!　もう「クワバタオハラの美人のほう」と呼ばれなくなってしまう!! とまでは思わなかった(笑)。

Q. なぜ、ダイエットが成功したと思いますか？
運動がメインだったから。漫才中の汗の量が以前の3倍!!　新陳代謝がUPしまくってるんでしょうね。

Q. くわばたりえは、ダイエットの教祖なのでしょうか？
くわばっさんの成功例を参考に、1人でも多くの女性がダイエットに成功し、その1人ひとりが巷で教祖になっていただきたい。

第2章

クワバタ流！これが「くびれ大作戦」！

なんで私はくびれに成功したのか？
そのヒミツを公開！
クワバタのダイエット語録も掲載します！

ヤーナとジュリアがお友だち

寂しくないから、頑張れる

コアリズムの何がいいって、DVDに出ているヤーナさんとジュリアさんが、めちゃめちゃスタイルがよくて、親しみのもてるキャラクターということ。

ちょっと大人っぽくて、頼れる姉御的なヤーナさん（青いほう）。

ワタシより小柄で、元気いっぱいの妹キャラのジュリアさん（ピンクのほう）。

実際に会ったときも、ふたりともすごく優しくていい人だった。

なのにワタシ、最初の頃、ふたりに向かって、**悪態ばっかりついてててん……**。

もちろんDVDの中で踊ってるふたりに向かってだけど（笑）。

ヤーナとジュリア
コアリズムDVDのコーチ。DVDには、2人がダンスの動きを丁寧に解説してくれるヘルプメニューがある。

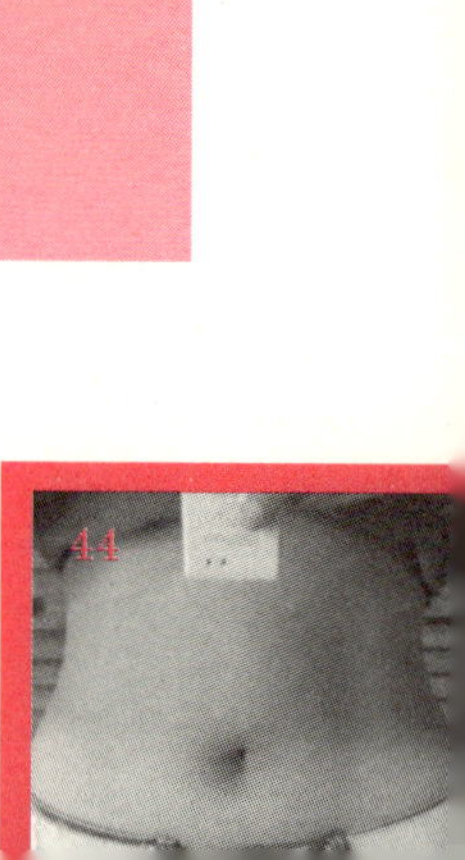

だってこっちはリズムについていくのに必死で、ヘルプ機能使いまくりで、
腰だって思うように回されへんのに、ヤーナったら、
「ね、簡単でしょう?」って……。
そりゃあ「何が簡単やねん!!」、「アホか!」って言い返したくなるでしょ。
あんまりにも自分ができないから腹が立って、
「お前ら、腰、振りすぎなんじゃあ〜〜〜」とか叫んでた。
それが今じゃあ「そやな、もっと腰回そかぁ〜」、
「ハイ、次はジュリアの番ね、今晩もよろしく頼むわぁ」って、超仲良し。
ワタシ、『ビリーズブートキャンプ』も実は持ってるねんけど、
あのときは、ビリーとここまで仲良くなれなかったもんなぁ(遠い目)。
ま、もともとビリーの動きにはまったくついていけなかったんだけどもぉ。
ダンス経験のない人にとって、コアリズムも決して簡単ではないけど、
ワタシの感覚だけで言うと、ビリーよりもコアリズムのほうが初心者向け。
リズム感のないワタシがここまで続いているねんから、
普通に歌ったり踊ったりできる人なら、たいていできると思うよっ。

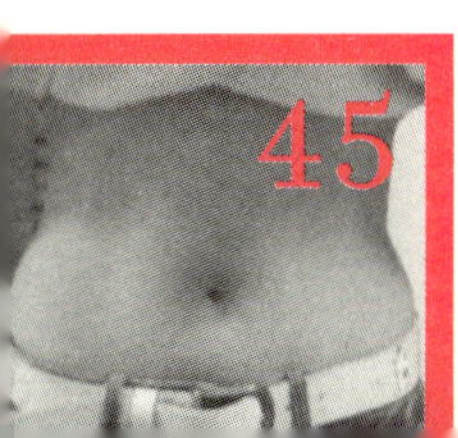

こんなに簡単？って思える日が必ずくる

大事なのは、続けること

DVDを買った人はわかると思うけど、コアリズムのパッケージには「7日間メリハリボディプログラム」って書いてあるねん。

基本プログラムを4～5日間、上級プログラムを2～3日、計7日間でくびれを作りましょうって言ってるのよ。

確かに、真面目に7日間続ければ、7日前よりウエストは細くなると思う。

だけど、それで終わりにしたら、もったいない。

お金出して買ってるのに7日間しか使わないのではもったいないのと、

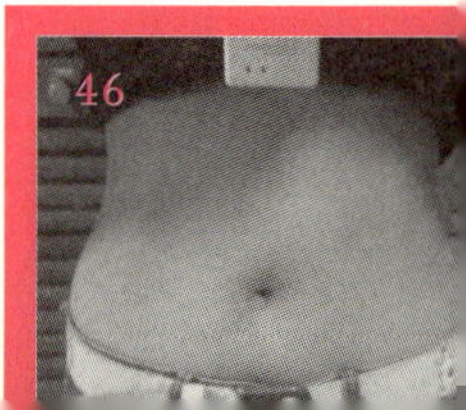

7日目以降も続ければ、踊るのがもっともっと楽しくなるから、
その前にやめちゃうのはもったいない。ホンマに、そう思うねん。
ワタシのやり方はすっごい自己流で参考にならないかもしれないけど、
コアリズムって約10分ずつ、4つのパートに分かれてるねんな。
それで、踊ってるときにステップがわからなければ、ヘルプ機能が使えるわけ。
ワタシは本当にリズム感がないから、**最初の10分間を何度も繰り返して**、
なんだったら最初は、ヘルプ機能の画面を見てる時間のほうが長かったぐらい。
ヘルプ使いまくりで、どうにかステップを覚えて、
10分までなんとなく踊れるようになったら、次のパートへ進んで。
徐々に徐々に、踊れる時間を長くしていった感じやねんな。
全部通して踊れるようになってからも上級プログラムには行かず、
結局、2カ月ぐらい基本プログラムをやり続けてた。
ちょっとずつ上手になっていってるのがわかるという達成感。
そして「なんでこんな簡単なことができなかったん？」という優越感。
そういう快感が続けるモチベーションにもなっていくと思うよっ。

こんなに簡単？って
思える日が
必ずくる

自己満足で何が悪い？

踊る喜び、減る楽しさ！

ちんぷんかんぷんだったダンスが踊れたときの喜びといったら!!
ヤーナとジュリアの動きに、ちゃんとついていけてるというだけで、
めちゃめちゃテンション上がるねん♪
すっごい簡単な動きでも、間違えずについていけたら自信にもなるし。
最初こそ、「難しくて無理！」って思うかもしれないけど、
ひとつできるようになったら、「頑張ればできる」って前向きに考えられるから。
初日より2日目、2日目より3日目。

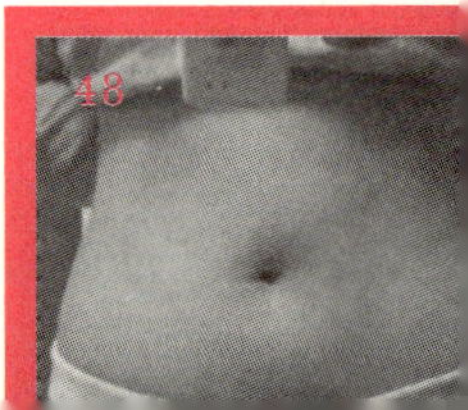

日に日に自分が成長しているのがわかると、楽しんで続けられる。
人によって違うけど、**3〜4日するとお腹の奥のほうがカチカチ**になって、
コアリズムすることで、ちゃんと筋肉がついてるんだなっていう実感がある。
それも大きい。成果をきちんと感じられると、頑張れるやん？
そして、10日〜2週間ぐらいすると、人からはわからないかもしれへんけど、
自分ではなんとな〜く、**ジーパンがゆるくなってきてるのがわかる**。
ウエストが6㎝減ったとき、ホリプロの社員さんに見せたら鼻で笑われてん。
今考えれば、ウエストがワタシの太ももぐらいしかないアイドルばっかり
見てる人に79㎝のウエストを見せても笑われるのは当然……。
だけどそのときは、すっごく悔しかった。

でも、自分ではウエストが細くなってることを実感できていたから、
ふてくされず、悔しさをバネにして頑張り続けることができたんやと思ってる。
ダンスが踊れるようになって喜ぶのも、お腹を触って筋肉を確かめるのも、
ジーパンがなんとなくゆるくなったのをほくそ笑むのも、ぜ〜んぶ、自己満足。
だけど、この**自己満足**の高さが、ダイエットが続く鍵だと思うねん。

自己満足で
何が
悪い？

お肌もおケツもスッベスベ

運動して痩せる醍醐味ここにあり!!

コアリズムをして何がよかったか？
ウエストが細くなったこと。もちろん！　体重が減ったこと。当然!!
あともうひとつ、予想していなかった分だけ喜びが大きかったのが、
お肌がスッベスベになったこと。
顔だけじゃなくて、おケツもツゥ～～ルツル♪。
これ、女子としてはむちゃくちゃうれしいポイントでしょう。
やっぱり、コアリズムやってるとめっちゃ汗かくのがええねんなぁ～。

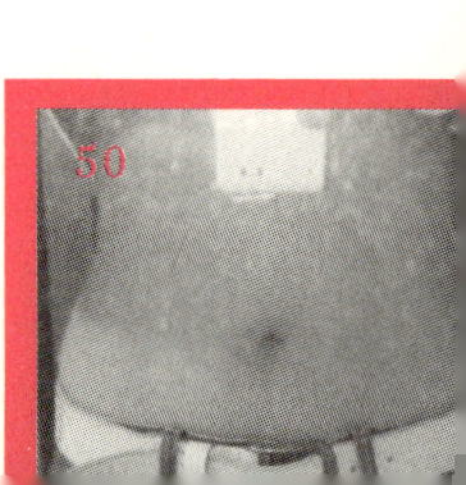

エステで高いお金払わなくても、こんなにツルツルになれるんだから。
しかも最初は、汗がベタベタしてて肌にまとわりつく感じだったのが、
徐々にサラサラの汗になっていって、気づけばス〜ベスベ。
赤ちゃんもびっくりのお肌になれましたぁ〜。
あと、ダイエットには便秘が大敵っていうでしょ？
ワタシはもともと便秘がちではないんだけど、
コアリズムを始めたら、より**快便**になってしまいましたぁ〜。
やっぱり、腹筋が鍛えられたことと関係しているのかな？
専門家じゃないから理由はハッキリとはわからへんけど、
とにかく運動して痩せるのって、健康にもめちゃめちゃいいことだけは確か。
たまに、ダイエットの必要がない細い子にも、コアリズムをすすめるねんけど、
それは、楽しく踊ってるうちに鍛えられて、健康になれるから。
相方の小原さんが、運動不足がたたってぎっくり腰になってんけど、
いくら細くても不健康じゃ、これから先年取ってくのに心配でしょ？
だからワタシ、痩せてる人にも、コアリズムをおすすめします！

踊るためにも食べなさい

少食では、腹に力が入らない

コアリズムの成果も出てきた、ダイエットも順調、目標体重まであとひと息。
楽しくダイエットをしていても、早くゴールにたどり着きたいのも本音。
だけど、そこで欲を出して食事制限なんてしたら、絶対にアカンよ!!
コアリズムの基本プログラムって、40分間あるでしょう?
ワタシは今でも、時間があるときは40分の基本プログラム、
昼間いっぱい歩いたり、短めに終わりたいときは約20分の上級プログラム。
そんなふうに、日によって使い分けてる。

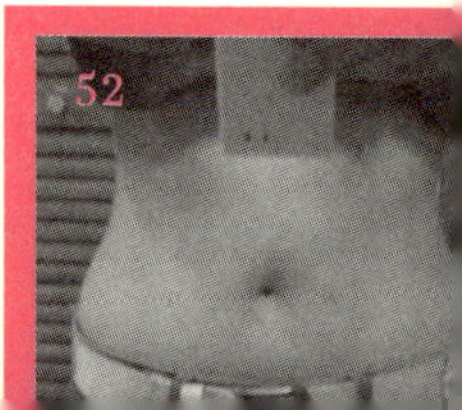

で、何が言いたいかというと、コアリズムって基本・上級に関係なく、
けっこうな体力を使う運動やねん。
だから、**ご飯をちゃんと食べていないと**、フラフラになって楽しく踊れない。
もちろん、食後すぐにコアリズムしたら脇腹痛くなるから、
1時間半～2時間経ってからやるねんけどもぉ（笑）。
ワタシも最初の頃、焦って極端に食事を減らしたって前にも書いたでしょ？
で、食べてないとお腹に力が入らないってことを経験してるわけ。
たぶん、〈ご飯を食べない→コアリズムをちゃんとできない→筋肉つかない→
脂肪も燃焼しにくい〉って感じになると思うねんな。
もしくは、〈早く痩せたいからご飯を食べない→体に力が入らず運動しない→
当然、筋肉はつかない→脂肪も燃えない→食事制限の反動でバカ食い〉とか。
でも理想は〈ご飯は普通に食べる→運動する→筋肉がつく→脂肪が燃える〉
ついでに、ここに〈よく寝る〉が加われば、最高やんな！
痩せたら幸せと違う。**痩せて健康で笑顔だから幸せ**。忘れんといてなぁ～。

バタヤンのダイエット語録

太ももで止まってたジーパンが、履けたときの喜びっ!!

履けるねんっ！　太ももで引っかからずにスルッと腰まで上がるねんっ!!　体重計の数字が減るよりも、ダンゼン、痩せたことを実感する喜びの瞬間。コレは、ちゃんと頑張った人にだけもらえるご褒美のようなものだと思うわ〜。

考えながら、ダイエットを続けてな

性格×体型×食事や生活習慣×その他モロモロ。答えは一人ひとり違うから、「自分に合う方法は何?」、「ワタシはどうしたら飽きずに続けられる?」って、考えることが大事。そうすれば頭と心と体のバランスが取れて苦しくない。

ダイエットとは、精神力を鍛えること

健康的に痩せるためには、いつか必ず、太っている自分と向き合わないといけない時期がくる。自分の精神的に弱い部分を認めて受け入れてあげて、じゃあどうしようかと考えると、一歩先に進めるよ。

1カ月だけでいいから、食べたものとカロリーを書き出そう

「食べてないのに痩せない〜」って人！　カロリーの高いものを気づかずに食べてるか、無意識にあれこれ食べてるかのどっちか。書き出せば必ず原因が見つかる！

喜怒哀楽を共有できる仲間、サイコー☆

コアリズム始めたのとほぼ同時にブログを開設して。そこに書き込んでくれたみんなのコメントがあったから、頑張れた。喜んだり一緒に悩んだり、どんな感情もちゃんと受け止めてくれる人がいるって心強い！

心の健康のために、1日1唐揚げ！

ワタシの場合は、揚げ物の中でも特に唐揚げが好きだから1日1唐揚げ、ってことで、好きなものをじ〜っくり味わいながら食べると満足するよっ。

食事制限絶対禁止!!

今日食べた肉や魚が明日以降の体を作る。すごく単純なことだけど、目先の欲（痩せること）にとらわれて忘れてしまいがちやんな。何も食べなかったら、体はどうなる？

「食べたらアカン」と思ったら、余計食べたくなるねん

アカン！って強く思えば思うほど、その食べ物のことがしっかり頭に刻まれてしまうねんな、きっと。寝ても覚めても頭に浮かぶのは食べ物のことばかり……。それならいっそ、食べる勇気を持とう。食べて運動すればいいんだから！

我慢するダイエットは、絶対リバウンドする

過去の実体験から、コレだけは断言できる!!　我慢＝心の負担でしょ？心に無理をかけたら体が正直に反応して、自分でもビックリする食欲になって返ってくる。理屈じゃないねんな。

ワンサイズ小さいジーパンをあえて買うねん

浪費癖のある人には向かないかもしれないけど……。ワタシのように「使わないものにお金払うなんてもったいない」と思うケチな人には、この方法がすっごい効果あるよっ！

目指せ！スカートデビュー

痩せる前は、ジーパン２～３本あれば１年中過ごせたけど、いざ引き締まってくるとファッションにも興味が出てくる。ワタシも女の子やってんなぁ (*^.^*)　スカート履くのはまだまだ恥ずかしいけど、やっぱり履くと、いつもとは違う気分になるから、オシャレを楽しめるようになりたいな。

2cmしかじゃなくて、2cmも減ったって考えよう

何もしなければ±0cm、いやっ、日々の＋0.1cmが積み重なって……。おぉ、怖っ (ﾉﾟoﾟ)ﾉ　頑張って減らした2cmは、ものすごく立派な数字。誇りに思わなダメ！

楽しく、クビレたい！

眉間にシワ寄せたまんま細くなっても、な～んも面白くない。笑顔で痩せるからこそ意味がある。ワタシはそう思うねん。「痩せたね～」のあとにちょっぴり嘘入ってても「キレイになったねぇ～～」って言われたくない？　そのためには楽しむことが大事。すっごく大事。

ひとまず1週間、頑張ってみよう

ダイエットグッズに頼る前に、まずは1週間腹筋を続けてみて。それさえも続かないようなら、買ったグッズも早々に使わなくなるだけだから。ワタシ、その繰り返しだったから。

1日10分、時間は作れるはず!!

言い訳ランキングNo.1「運動したいけど時間がない」。ホンマ？ホンマに10分もない？あるやろ～。探さんでも10分はあるって。ハイ、反省したアナタ。今日から10分、運動しような (＾▽＾)/

開き直ったら終わりやで

痩せたいと本気で思うなら、「どうせワタシは……」とか「太ってるほうがワタシらしい」とか、絶対に言うたらアカン。言ったら即打ち消してなっ！

ムダな肉がなくなると、生活が楽しいヾ(=^▽^=)ノ

お腹に溜まったお肉をみてどんよりした気分になることもなくなるし、動くのが億劫じゃなくなるし、なんだか、1日にメリハリが出てきて毎日が楽しい！　いい循環が生まれてきてるよ。

1カ月で0.5kg、1年後は6kg減！

1カ月1kg痩せたら1年で12kgも減るってスゴくない？　ストレスいっぱい溜めて1カ月で10kg減らすより、ゆるゆると確実に減らすほうが楽しんでダイエットできるわ！

人生最後のダイエット

これまで、痩せてはリバウンドを繰り返してきて……。そんな自分を嫌いになりそうだったから、「これが人生最後のダイエット」って決めてん。その強い決意がリバウンドしない方法を模索することにつながったんやな。

立ったまま腹筋し続けてる

コアリズムは立ったまま腹筋してるのと一緒。やっている間中お腹コチンコチンにして筋肉つけて、代謝をよくして、キレイに痩せよ。

自分のやり方で、いいねん

これなら100%痩せるなんていう方法はなくて、100人いれば100通りのやり方があって、それはすべて正解！ ただし、その方法が健康的であればの話しやで。体にも心にも負担をかけないで、自分らしいやり方であれば、それでいいねん。

座るときに膝を閉じてるのは、痩せてる人ばかり

電車乗ったら見てみて！ あの人キレイって思う人は、たいてい脚を揃えて座ってるから。「あんなキレイな人でも努力してるんだからワタシも頑張らなきゃ」と思えるようになったら、自分の日常が少しずつ痩せる方向に向かってる証やんなっ(≧▽≦)

履けるかじゃなく、可愛いかどうかで服を買うって楽しい(^_^)

迷わずに「試着していいですか?」って聞ける。「アレ可愛いから着たい」って素直に思える。ウキウキすることが増えると、自然と前向きになれるもの。

また始めれば、それは挫折と呼ばない

挫折したかどうかを決めるのは自分自身。「挫折した」と思えばダイエットは終了だし、「ちょっと休憩しちゃったけどまた始めよう」って思えたらダイエットはいずれ習慣になっていくから。

40分間も踊り続けて、痩せないわけがないっ!!

コアリズムの基本プログラム40分を真面目にやって、あれだけ豊富な運動量で痩せなかったら、今頃ワタシはケチョンケチョンにけなしてるよ。

このままいけば、年取ってもダルダルの腹にならないもんねっｏ（^-^）ｏ

お腹触ると奥のほうがカチンコチンやねん。それを触るのが快感だし、今のままコアリズムを続けていれば「中年太りって何のことぉ？」って高飛車発言できるなぁ（笑）。

やっぱり、太る生活してたわぁ

揚げ物大好き。お腹空いてないのに、目の前に食べ物があったら食べる。お酒飲んだら最後はラーメン屋へGO！それでもって運動はゼロ。そりゃ太るわな〜。でも〝改善点がいっぱいある＝痩せる可能性が高い〟ってプラスに考えるねん。

運動をしてるからおケツまでスッベスベ〜

コアリズムってめっちゃ汗をかくから、お肌がツルツルになって「お化粧のノリがよくなった」って、ヘア＆メイクさんにも褒められた♪　しかも全身アセダ〜クだから、おケツもスベスベになって気持ちいいねん!!

痩せてる人が着ると、普通の服も可愛く見える

めっちゃ悔しいけど、コレ当たってない？　ファッションセンスは変わらなくても、痩せただけでおしゃれな人になれるんだったらすっごいお得。どんなことでも悔しがってばかりいないで、前向きに考えよう！

腹筋がついたら、面白いぐらい腰回るでぇ〜

最初はガチガチだったけど、諦めずに１週間、10日と続けていったら、自分でも笑ってしまうぐらい、グルングルン腰回せるようになるから。

そのやり方で、一生続けられる？

朝ごはん、一生バナナでいける？　ビールを飲まない一生が考えられる？　痩せるのが目的じゃなく、痩せた状態をキープするのを最終目標に、自分が無理なく続けられる方法を見つけないとね。

続けること

腹筋1日10回×30日＝300回、12カ月続けたら3600回。コレをした人と何もしなかった人のお腹は同じじゃないよね？　たったの10回、たかが10分をバカにしたらアカン。

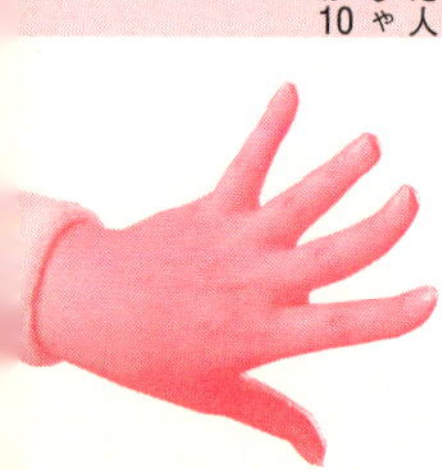

1日目の写真見たら、誰コレ？って思うわ

お腹の写真を毎日撮っていても、なかなか痩せたことは実感しにくい。だけど、1カ月とか2カ月経ってから1日目の写真を見たら、「コレ、CG? 関取コスプレ？」って思ったわ(^_^) 記録することも楽しんでなぁ～。

痩せてキレイになったら、過去の失敗チャラやでぇ～

過去に何度もリバウンドして、自分に自信を持てない人も多いと思う。ワタシもその1人だった。食べて運動して健康的に痩せて、過去の自分とはきれいサッパリ別れましょっ♪

10分だけと思って始めたら、40分続けられる

「運動するの面倒くさいな」と思ったら「10分だけやろう！」って自分を励ましてみて！ 10分のつもりで始めたら体も温まってきて、気づいたら30分40分過ぎてることなんてザラ。

痩せてる人は、みんな先生！

痩せてる友だちは、ファミレスで何を頼む？前を歩いてる細い人は、どんな姿勢でいる？痩せてる人の行動を観察してみると、どうして自分が太ったかが浮き彫りになってくる。〝どうせ私は……〟なんて落ち込んでないで、真似できることからどんどん取り入れよう！

コアリズムやるのは、毎朝コーヒー飲むのと一緒

「昼間食べ過ぎたから、今日は40分バージョン」、「いっぱい歩いたから10分バージョンにしとこ」。ね？コアリズムは生活の一部でしょ？

食べないと、フラフラして楽しく踊れない

体重が減らないからって焦って食事を減らしても、いいことはひとつもない。毎日を楽しむこと。これがいちばん！

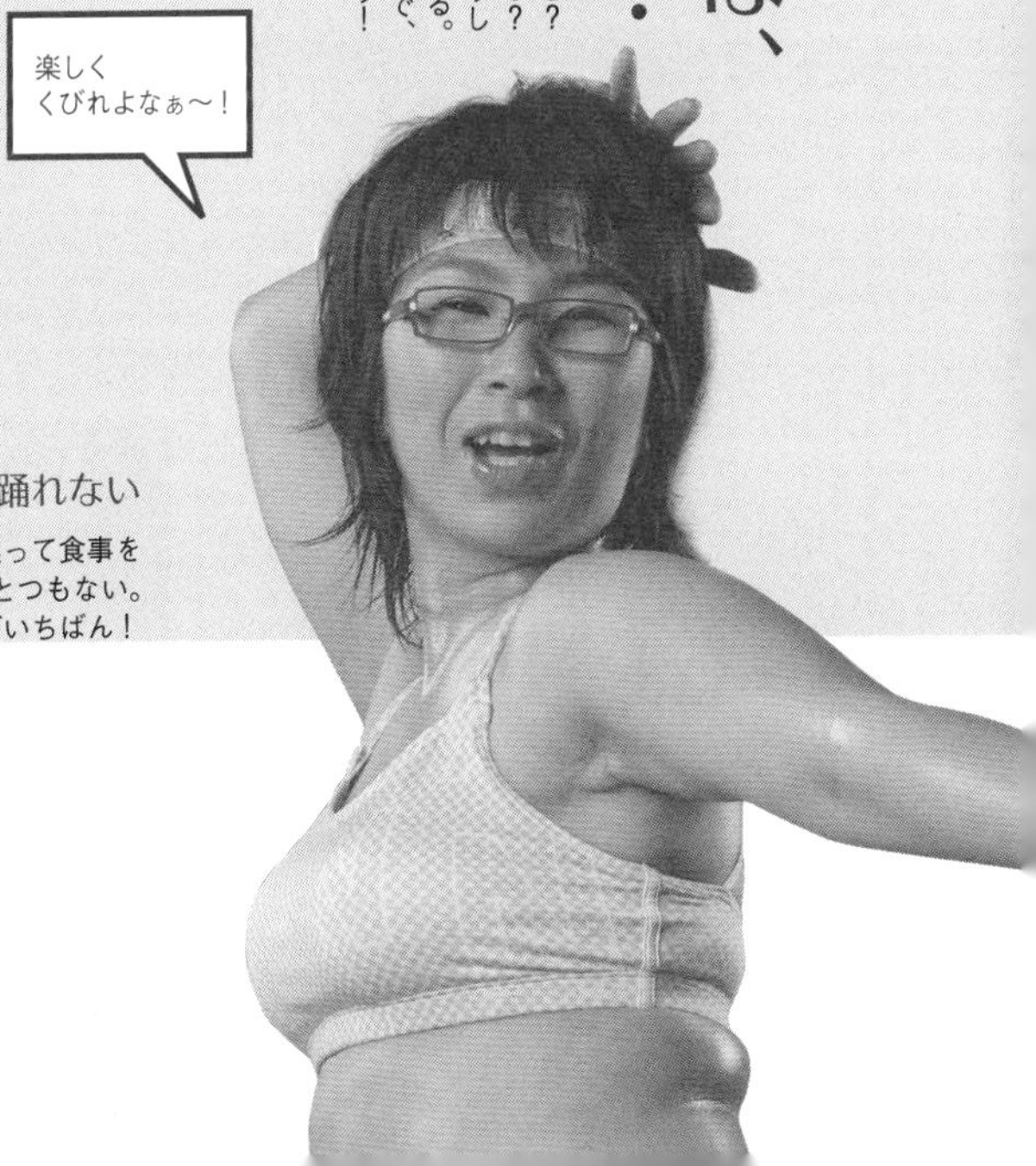

紆余曲折ありましたっ!!
ウエスト－20cm 笑いと涙の45日間

0日目

**今日から
くびれ大作戦開始！**

体重63.1キロ…
ウエスト85センチ…
みんながビックリするくらいくびれたるぞ！

1日目

リズム感…

早速コアリズムやったぞぉ～!1枚目のDVDが40分くらいあって4つのブロックに分かれてるから、とりあえず1つ目のを3回やってみた。

2日目

疲れたぁ～

今日の朝9時20分の時点ではウエスト81.3センチ！始めてから-3.7センチ！体重も63.1キロ→61.5キロ！ 結構すごない！

3日目

コアリズムとは

ラテンエクササイズやねんけど、お腹のコア筋？よく専門的な用語はわからんけどぉ～。腰まわり中心のダンスでクビレたい人達に向けてのDVDです。

5日目

イエーイ…

昔はいてたのに、太って入らなくなったジーパンが！嬉しい!! ウエストが入らへんかったのは勿論！太ももが股下までたどり着かへんかったのに！

6日目

体の変化

今日ウエストがなんと、77.6センチ！ 始めてから－7.4センチ！凄い！自分でもビックリやぁ～！でも今朝の体重は61.1キロやってん。

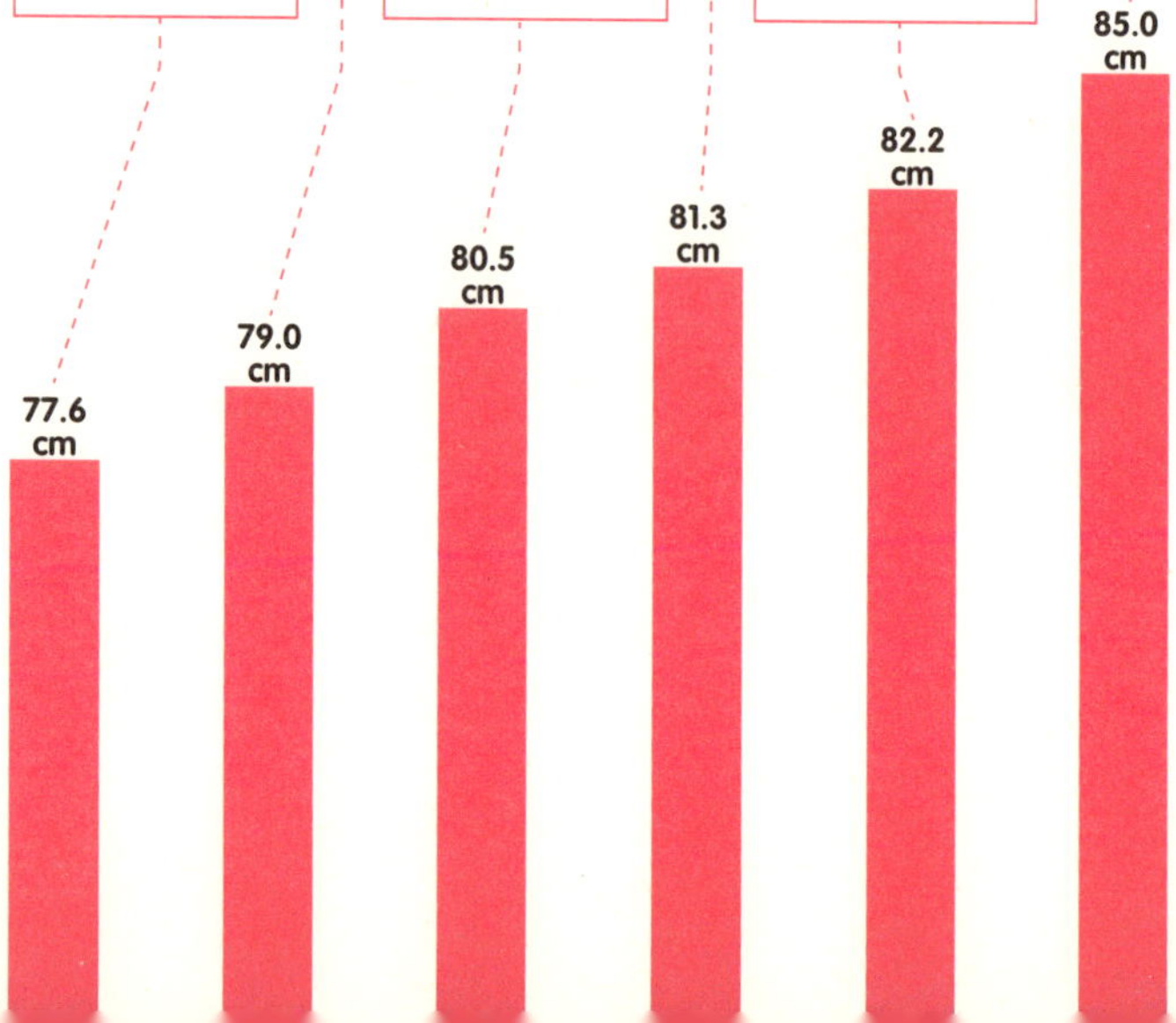

0日目～13日目

7日目
はぁ…

ウエスト77.4センチ
体重61.1キロ
なんでや…　順調にきてたのに…　友達の誘いも断って、歩いてコアリズムしてんのに。

8日目
めっちゃ長い文

ぶっちゃけ。昨日の朝、体重は落ちてない、ウエストほとんど変わってない。やって、朝からほとんど何にも食べてなかってん…。ご飯食べるの怖かってん…。

10日目
疲れたぁ～

めっちゃ食べてん！　だけど、収録が18時から21時までやったから、18時前に食べました。21時以降は食べないって決めてるから！

11日目
姿勢が大切

熊田曜子ちゃんと言えば、くびれ師匠やおまへんか！　師匠にどんなんしたらいいかアドバイスを頂いた。『姿勢ですよっ！常に姿勢よく！これが一番です！』

12日目
米が大好き

昨日お米を4合炊いてラップして、冷凍庫に入れる作業してんけど、いつもやったら7つしかでけへんのが16もできた！

13日目
やったでぇ～

ついに今日ウエストが！74.8センチ！　75センチをきりました！
みんなのお蔭です！　ありがとう！　あと-9.8センチ！
私、頑張る

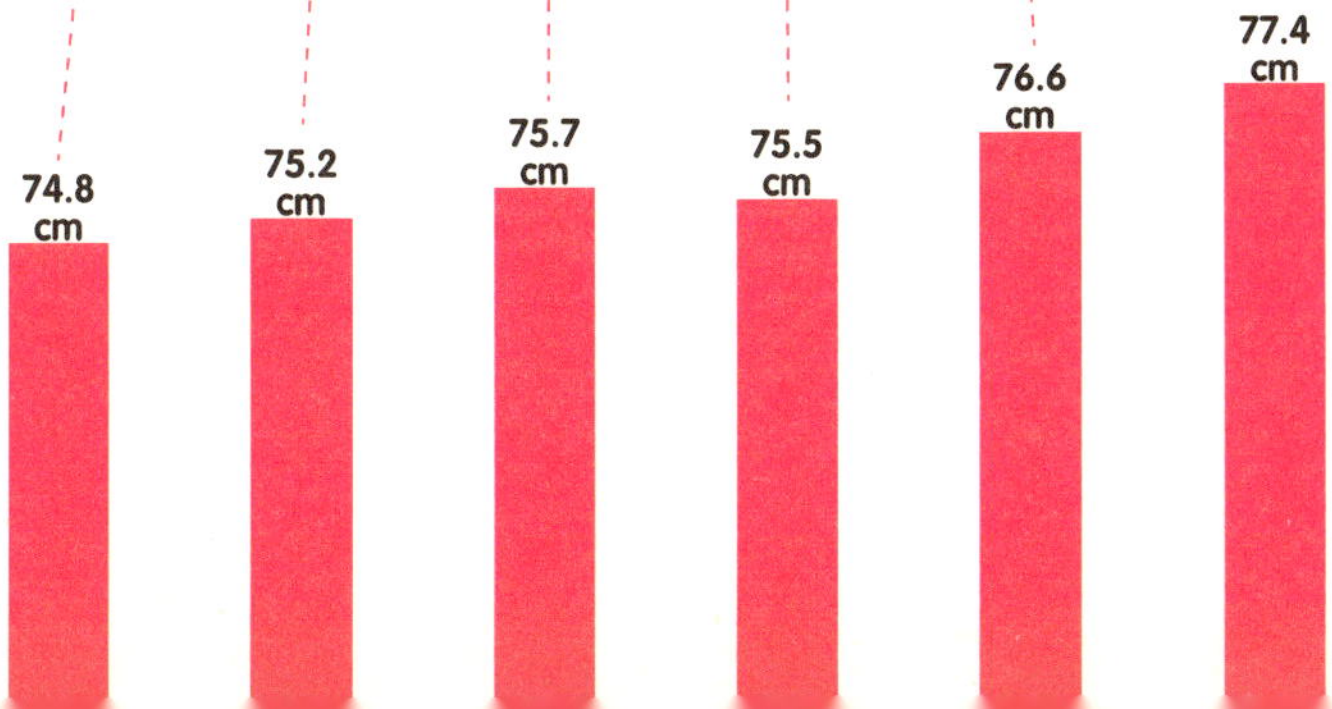

16日目

記録

約2週間で
体重→ -2.7キロ
ウエスト→ -10.5センチ
毎日少しやけど 減ってるやろっ！ 今回楽しくダイエットできてます！

17日目

続ける事

コアリズムって痩せますか？ 続ければ痩せます！ ウォーキングも続ければ痩せます。結局コアリズム関係なく、何でも続ける事！

18日目

嬉しいなぁ〜

最近、花とかお家に飾るようになった！ なんやろ？ 今まで興味なかってんけど…。花は105円やってん。安いから買ってんけど。

20日目

ロケ車の中で

移動中に車の中でご飯食べましたぁ！ ご飯は3分の1は残しました。ダイエット始めて3日目くらいは「残せました」やったけど、今は「残しました」。

21日目

ジーパン

「すいません、これのワンサイズ小さいやつお願いします」。勿論はいらない。えーねん！ 絶対にこのジーパンをはいた写真を近いうちに見せる！

26日目

焦るなぁ〜

はぁ…。最近、全然体重もウエストも減れへん…。かといって、ご飯をめっちゃ減らしたくないねん。リバウンド絶対すんのわかってるし…。

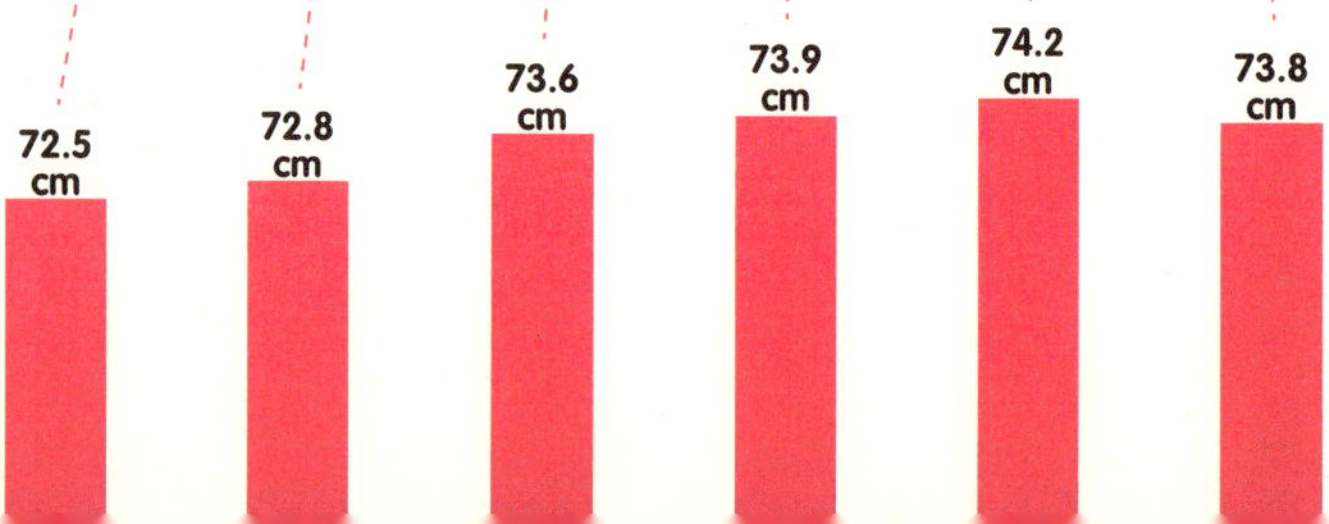

16日目～35日目

32日目
無題

なんか最近感じた事とか書こうと思って、無題になりやした。今回は本当に楽しくダイエットできて嬉しい＆ありがたいっ！

30日目
今日で１カ月

今日で１カ月やぁ！

１日目から全部見直したら､なんかジーンとした…。ホンマに数ミリずつ数ミリずつウエスト減ってる。

27日目
コアリズムやってる人へ

あぁ～。コアリズムの吹替え私がやりたいわぁ～。ほんなら全部 大阪弁で『この動き効くでぇ～』って。ダメか。

35日目
サルサレッスン

今日でサルサを踊るのは２回目！ レッスンもかなりスムーズに受けられたで！
サルサめっちゃ楽しい！

31日目
4月17日にはいた

４月17日に入ったけど、お腹めっちゃ痛かってん。今朝履いてみたら…、お腹痛くなぁい！

29日目
汗だく

今から寝まぁす！
汗凄いやろっ！

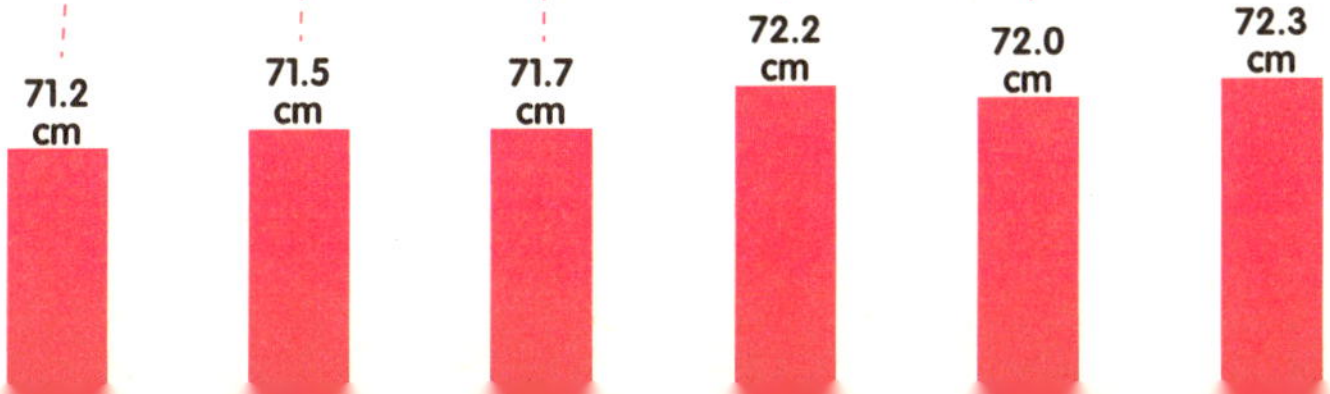

36日目〜45日目

36日目
コアリズム基本編

初めはめっちゃ早い！ついていかれへん！ってなるけど絶対に出来るようになるからっ！ そのかわり毎日やってやぁ！ 大丈夫！絶対できるからっ！

37日目
ヒール

私 スニーカーしか持ってないねん。でも、痩せたら低いヒールとか履いてみたいから、ベタぐつやけど買いましたぁ〜！

38日目
お風呂

私 基本シャワーのみやねん。みんなお風呂で何してんの？ なんか光るアヒル浮かしてみたけど… 私32歳… 悲しくなるなぁ。

40日目
記者発表！

ヤーナ＆ジュリアとのコアリズムイベントの日に、くびれ大作戦の記者発表があります！ 残りわずか！みんな応援してなぁ〜。

41日目
みんな！ありがとう！

ブログの更新は記者発表まで 回数減らすわっ。ブログ書いてた時間をウエスト65センチに向けての時間にしたいと思いますっ！

45日目
よっしゃあ〜!!

ウエスト65.4センチ！ 四捨五入で65センチ！
泣きそうなぐらい嬉しいっ〜。みんなの応援がなかったら無理やった。ホンマにホンマにありがとう。

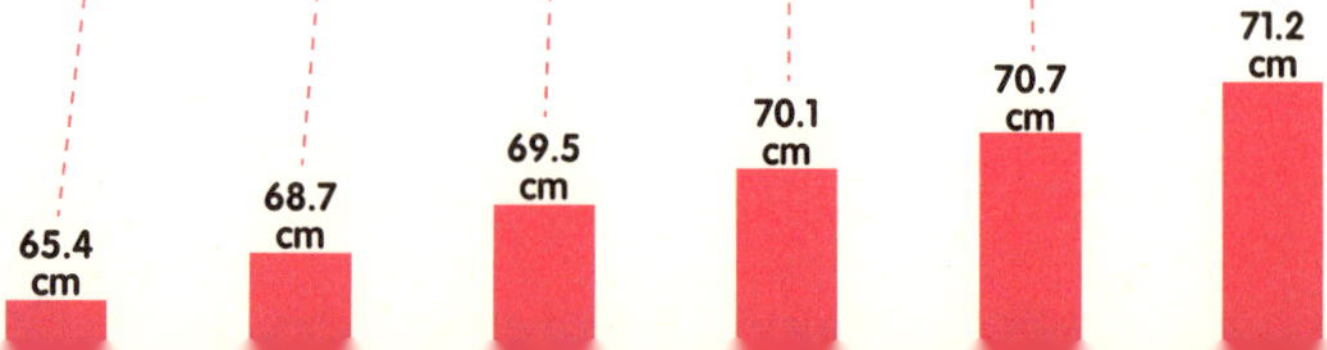

第3章
コアリズムで楽しくやせよっ♪

クワバタ流コアリズムを公開します！
1日10分でいいから、続けてや〜。
コアリズムに関するみんなからの質問にも答えてます！

ストレッチから〜

コアリズムの動きは思った以上にハード。
腰を痛めないためにも、ストレッチは必須やでぇ!!

1

これは、体の硬い人でもできるストレッチ法です！　まず、脚を肩幅より広めに広げて、両手をベタッと床につける。そのとき、膝は自由に曲げてOKだから、楽勝〜!!

stretch_01

逆さ前屈で
腰をしっかり伸ばす

2

手が床から離れないように
ジワジワと膝を伸ばしてい
きま〜す。膝や太ももの裏
側が痛くなって膝が伸びき
らない人は今日はそこま
で。気持ちよく伸ばせると
ころで5〜10秒キープ。

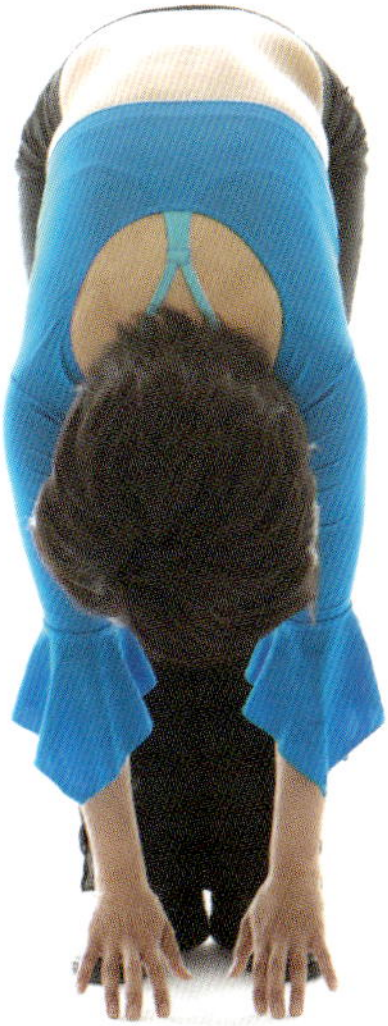

3

2の姿勢がラクにできるよ
うになったら徐々に脚の幅
を狭めていきましょ。ちな
みにワタシは、やっと、こ
こまでできるようになりま
した〜！ 毎日続けていれ
ば、誰でもできるよぉ。

1

まずは座って脚を開きましょう。無理して思いっきり開こうとすると、上半身が前に傾いてしまうので注意。背筋をピンと張って、ももの内側が気持ちよく伸びてるのを感じて！

stretch_02

意外と酷使するわき腹と内ももを伸ばぁ〜す

ナナメから
引っぱられてるぅ〜

2

片手で足の指先を持って、体を倒しますぅ〜。
ここで気をつけたいのは、体を真横ではなく
“斜めから誰かに引っ張られているような感
じ”で、指先を遠くに遠くに伸ばすことです。

Column

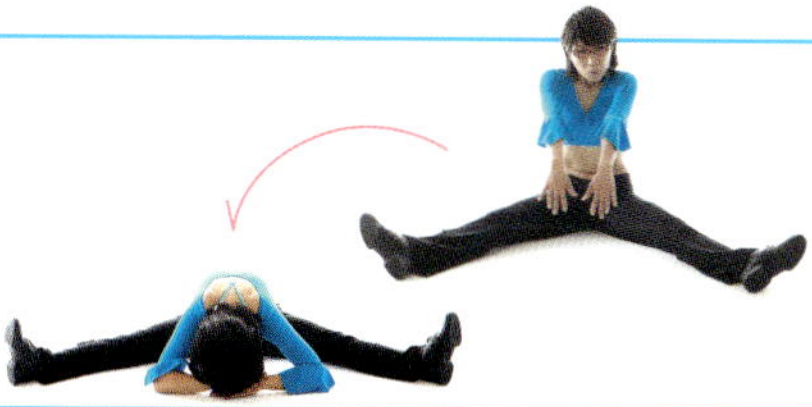

見て！毎日続けることのスゴさ !!

コアリズムを始めた頃は体ガッチガチ。それが、毎日続けたら、こ〜んなに柔らかくなったよ〜。

きほんのき

1

コアリズムやってる人にはお馴染みの「その場でマーチ♪」。ただ足踏みしてるんじゃなくて、腹筋で腰を左右に動かしている（コア・ラテラル）結果、膝が自然と曲がるっていうイメージで。

その場でマーチ

お腹コチンコチンをキープして

2

腹筋はカチカチの状態をキープして、片足をつくたびに「フッ」「フッ」って息を吐くことを忘れずに!!　お腹に力を入れすぎて、肩が上がらないように気をつけてな。

Point

お腹を触りながらやってみて！

腹筋の使い方がわからない人は特に、コアリズムで動きが変わるたびにお腹を触ってみて。そうすると、どこの筋肉に効いてるかがわかって、体が動かしやすくなってくるよ。

きほんのほ

1

腰を前後に動かすって思いながらやると、腰を痛める可能性大。"腹筋で腰を前・後ろに運んであげる"が正解です。息をフーッて吐きながら、腹筋を使って腰を前に移動させて。

コア・フレクション

腹筋を使って腰を
前後にクイックイッ

腰じゃなくて腹を
動かしてやぁ
front
side

2

腰を後ろに移動させるときも、腹筋を意識して息をフーッて吐きながらやってなぁ〜。何も考えずに腰を反らせておケツを突き出すだけじゃ、効果が半減してしまうよ。

きほんのん

1

前に出てきた2つの動きを組み合わせ、腹筋を使って腰を前→横→後ろ→横って動かすだけ。フッて息を吐きながら、腹筋で腰を前にスライドさせるところからスタート！

コア・ローテーション

グルンと回して
腰肉も一掃

2

前にギュッと絞った腹筋を今度は横へスライド。上手に腹筋が使えていると、わき腹あたりに効いてくるはず。腰を突き出した反対側の肩が下がらないように気をつけてな～。

3

次も腹筋を意識しながら腰を横から後ろへ。動かすのは腰だけで、上半身が前後左右にグラグラしないよう注意！ 肩の位置を変えないようにって思いながらやるといいよ。

コア・ローテーション

4

前から横に動かすのはは簡単だけど、後ろから横は少しやりにくいな。腰が斜め後ろで止まらないよう、腹筋を使って真横まできちんと運んであげてな。そして、1に戻る!!

Point

フッフッが大事やで〜

脂肪燃焼にも筋肉を鍛えるにも、体内に酸素をいっぱい取り込むことが大事。腰を前後左右に動かすたび、足をつくたび、「フッ」て声に出しながら息を吐くようにしてなっ。

バタヤンお気に入り♥1

1

体が気持ちよく伸びるこの動きは、寝起きにやるのもおすすめ！　手は肩の高さまで上げて、床と水平に。足は肩幅より広めに開いて膝を軽く曲げて。これで準備は完璧ですぅ～。

わき腹ギュッ
上体スライド

2

お腹はコチコチのまま、フーッて息を吐きながら体を徐々に横に動かしていきます。もちろん、腹筋で動かすように意識してな～。実は、伸びているほうとは反対側のわき腹に効いてます。

腕はずっと水平のまま！

3

2の姿勢からゆっくり1と同じ姿勢に戻しま〜す。このときももちろん、腹筋はコチコチのまま、フーッて息を吐くことも忘れずに。腕の水平をキープすれば、二の腕痩せにも効果的！

4

さっきとは反対側に体をスライドさせま〜す！上半身が前後に倒れたり、肩が下がったり上がったりしないように気をつけながらやりましょう。どう？わき腹に効いてる感じする？

バタヤンお気に入り♥2

1

普通に立っている姿勢から右足を軽く後ろに引いて、腰をほんの気持ち反らせるようにしたら、スタンバイOK!　お腹が気持ちよく伸びているのを感じて、次の動きに備えましょう。

＼どこでもできる／

わき腹ギュギュッ
わき腹しぼり

2

フッて息を吐きながら、伸びているほうの脚（左足）のわき腹をギュッと絞りましょ〜!　動きが地味すぎてわかりにくいけど、これを続けてると、腹筋に縦のラインが入ってくるよ〜!!

3

今度は逆サイド&解説は駅のホームでやるときバージョン。直立の姿勢からさりげなく左足を後ろに引きましょう。ちょっと姿勢がよすぎる人、ぐらいの感じで腰を軽めに反らせます。

駅のホームでも
ギュギュッ

4

視線は遠くに、運動なんてしてませ〜んって表情のまま、伸ばしてるほうの脚のわき腹をギュギュッと絞っていきましょう。息は細く長く周囲に気づかれない程度にフーッと!

バタヤンお気に入り♥3

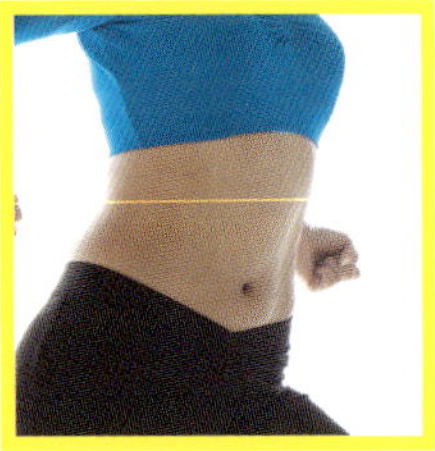

ヒップア〜ップのぷりケツ体操

1

脚を前後に開いて膝は軽く曲げ、前に出したほうの脚はつま先立ちに。肩甲骨を寄せるように意識しながら腕を後ろに引くと、腰も自然に反るようについてきます！

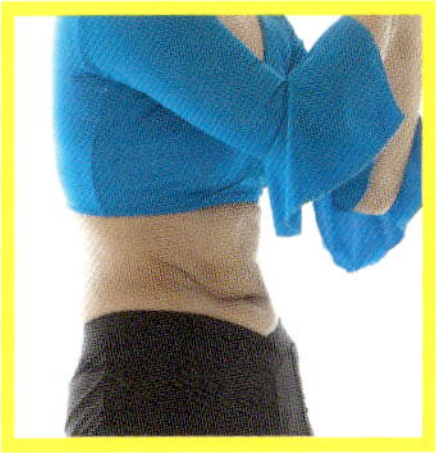

2

曲げてる脚をただ伸ばすだけ、っていうぐらいの軽い気持ちで挑みましょう。腕を前に振り上げながら、おケツをクイッと中央に寄せるようなイメージで引っ込める!!

バタヤンお気に入り♥4

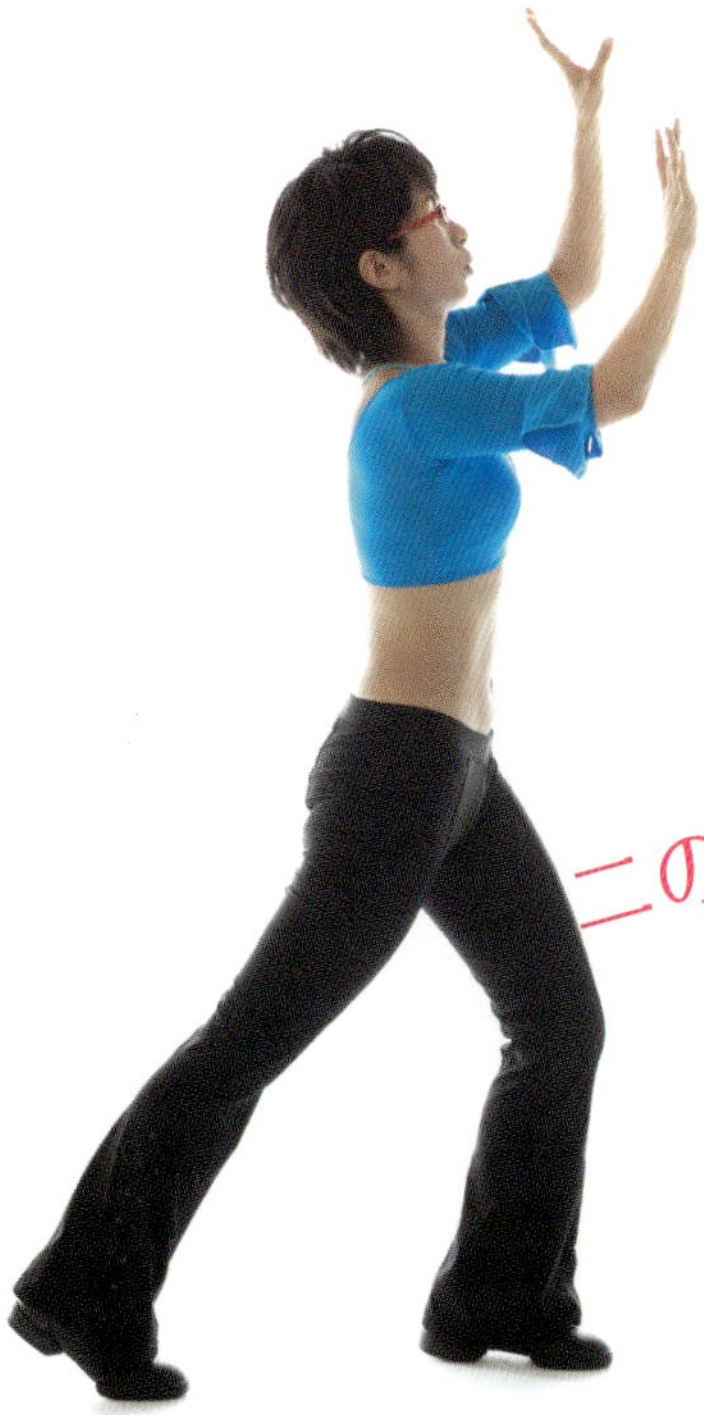

二の腕も細くっ！
ドラム

1

太鼓を叩くようにするこの動きは、コアリズムの中でもめっちゃテンション上がるわ〜。肘から上だけじゃなく、肩から動かすように意識するのがポイントかな。

2

1の動きのときも中腰のこの姿勢でも、腹筋には常に力が入ってます！　お腹がカチンコチンにしていると体勢が安定して、腕、腹、太ももを同時に鍛えることができるんです!!

3

ちゃんと息を吐きながら腹筋も使って！　じゃないと、腰に負担がかかるから気をつけてなぁ。後ろに引いたほうの脚の膝は、床につくギリギリでとめると、おケツも鍛えられてお得!!

バタヤン指令で さらにシェイプ

コアリズムの効果をさらにUP!
ブログで公開した“バタヤン指令”を完全収録。
無理のない回数を自分の好きなタイミングでどうぞ!!

仰向けに寝たら膝を立てて、脚は肩幅ぐらいに軽く開きましょう。フーッと息を吐きながら、おへそが見えるぐらいの位置まで頭を起こします。腹筋っていっても、動きはこれだけ。

腹筋

ちょこっとおヘソをのぞくだけ

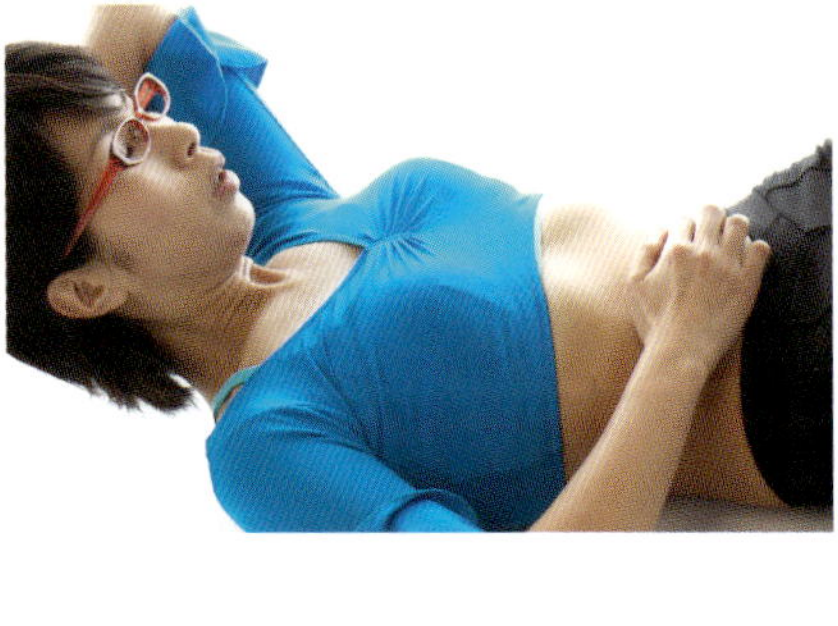

お腹は膨らむけど、お腹の奥のほうはカチンコチン。これが理想とする腹筋の使い方(某ボディビルダーのお墨付き)。首が痛い人は片手を頭に、片手を腹筋に置いてやるのがおすすめ!

1

当たり前のように腹筋には力を入れたまま、四つんばいの姿勢に。腰が反らないように注意！　この姿勢がとれたら、フーッと息を吐きながら、片足の膝をおっぱいに近づけましょ〜♪

2

勢いはつけずに、脚を後ろに上げます！　理想は、後ろに持ち上げた脚の膝の角度が 90 度。2 〜 3 秒キープしたら 1 の姿勢に戻ってを繰り返し。反対側も同じ回数やるようにしてやぁ。

ケツ筋

足を振り上げ、プリケツ GET

1

肩幅より広めに脚を広げ、つま先は外側に向けて立ちましょう。内ももに手を添えて、つま先と同じ方向にゆっくり膝を曲げていきます。もちろん腹筋はカチンコチンで息を吐きながら。

2

1の姿勢からジワジワと立ち上がります。このとき、膝を伸ばしきらないのがポイント!!　膝が軽く曲がってる状態を2～3秒キープしてから再びゆっくりと膝を曲げていきましょう。

内もも筋

ジーパンの似合う
ほっそり脚に

1

まず、背筋を伸ばしてまっすぐの姿勢で立ってから、つま先を内側に向けて内股にします。それから、膝をくっつけます。上半身が前に倒れないように、お腹に力を入れて立ちましょう。

2

1の姿勢のまま、かかとを上げ下げ。このやり方でやると、普通に立った状態でかかとを上下させるよりも女の子らしいキレイな筋肉がつくらしいので、みんな頑張ろうなぁ〜♪

美脚筋

かかと上げ下げで女の子らしい脚のラインに

1

手のひらを下に向けて、両手を床と水平に。肩はリラ〜ックス。まずは右手から、手のひらが天井を向くようにひねります。手首から先を動かすんじゃなく、肩からグッと動かしてな！

二の腕・初級

ねじるだけっ

2

フッ、フッと息を吐きながら、右、左、右、左とリズミカルにねじねじしま〜す。肩をグッと入れていないほうの腕はあまり意識しないで、自然な動きにまかせておくのがよいでしょう。

1

最初は四つんばいでもいいし、もう少し頑張れそうな人は膝の位置を後ろにずらして準備の姿勢をとりましょう。いい加減しつこいですが、腹筋はカチンコチンでお願いします m(._.)m

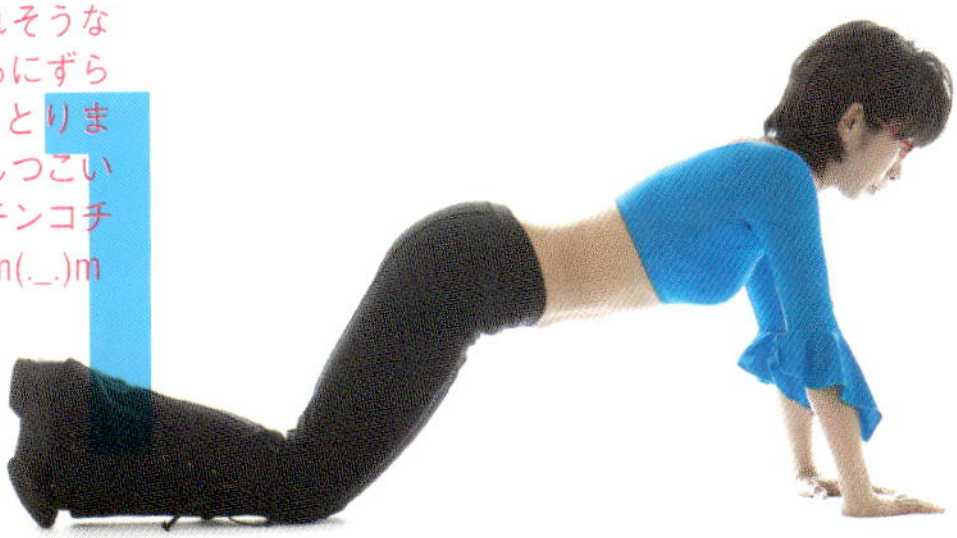

二の腕・中級

女の子腕立て

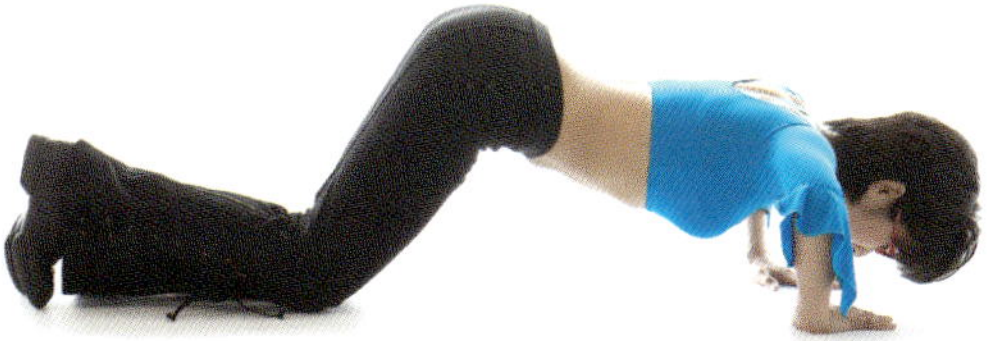

2

フーッと息を吐きながら、腕を曲げていきましょう。無理のない範囲でとは言いつつも、深く曲げれば曲げるほど効果大。膝の位置を動かしながら、自分にとってベストな位置を探して！

最初はおケツをつけてもOK

1

脚を前に投げ出して座り、後ろについた手は指先をおケツのほうに向けます。そのままおケツを浮かしたら準備OK!　この状態で腕がぶるぶるする人はおケツをつけたままで!!

二の腕・上級

地味にキクゥ～

2

1の状態から肘を曲げて、伸ばしての繰り返し。おケツを浮かしてやっている人は、肘をまげたときに、おケツが床につかないようにしましょう。くれぐれも、無理は禁物やで～！

Column

1日に何回やればいい？

基本的に、何回やるかはその人の自由！ 自分の体力や筋力と相談しながら続けて、徐々に回数が増えていくのが理想。1回でもやらないよりかはやったほうが絶対いい!!

番外編

腹筋がわからない というレディたちへ

1. 寝転がったら膝を立てて
肩幅ぐらいに足を開く

2. 片手は首、もう片方の手は
お腹に置いておく

3. フゥ〜と息を吐きながら
頭をゆっくり起こす

4. 膨らんだお腹の奥にある
筋肉カチンコチンになる!

コアリズムは立ったまま
腹筋してるのと一緒！

基本プログラムなら約 40 分間お腹に力は入れっぱなし。お腹が膨らんでるのに奥にある筋肉はカチンコチンっていう状態がキープできたら、コアリズムの効果が倍増するよ～ !!

1日10分でもええから、続けてね〜

Let's Core Rhythms !!

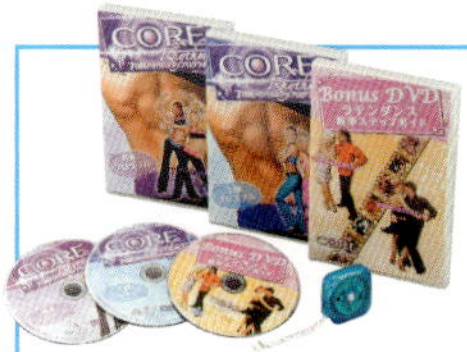

DVDは「基本プログラム」「上級プログラム」に、ボーナス特典で「ラテンダンス簡単ステップガイド」も付いています。
（販売元：エクサボディ）

コアリズムQ&A
みんなの疑問にバタヤンが答えますっ

ブログ「くわばたりえのやせる思い」に
寄せられた質問の中から
特に多かったものをピックアップ。
バタヤンが心を込めて、答えさせてもらいます！

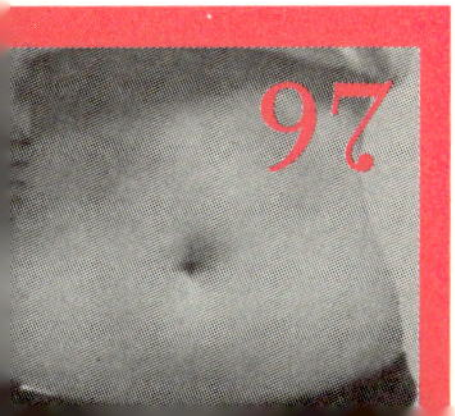

Q　上手に腰を回せない～

A

ワタシの経験から言うと、腹筋がついてくると、面白いように腰を回せるようになるから安心して！　なんやったら、ヤーナとジュリア以上に回したろか！ぐらいに思える日が必ずくるから。最初の頃は腹筋がないから、どうしても腰で回そうとしがち。だけど、そのやり方だと腰を痛める可能性もあるから、気をつけてほしいなぁ～。

とにかく、腹筋!!　腰を動かすときは、腹筋から動かすように意識してみて！　たとえば、右に動かすときも、腰からじゃなくて腹筋でふんぎゅっと右に移動させる感じ……、わかりづらいなぁ。

ひとつ言えるのは、コアリズム中は腰を回せないって落ち込むよりも、お腹の力を抜かないことだけを考えてやったほうがいいってこと。それを続けていれば、ある日、〝あれあれ！　私できてるぅ～〟ってなるから。がんばろうなぁ～。

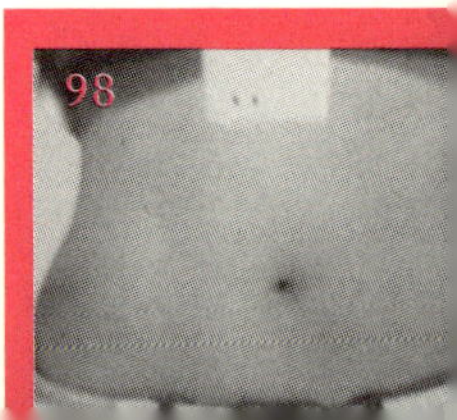

Q ステップが早すぎて、わけがわからない!!

A 最初は、ホンマ、わからんのよねぇ。ワタシはわかるようになるまで、ヘルプ機能のお世話になりっぱなし。基本プログラムは40分のはずなのに、ヘルプばっかりしてるから、1回に1時間半ぐらいかかったこともあったわ……。

あと、ブログのコメントに、スロー再生でやってるっていう子がいて、その方法はいい、って思った。スローでやるとステップにもついていきやすいし、スロートレーニングみたいに、嫌でも使ってる筋肉意識できると思うし。

ワタシもいまだに、へんてこりんダンスになってるところあるなぁ。フラフープって言うの？ あれが上手にできない。だからその時間は、水飲みタ～イムって決めてます！

他のところも完璧ではないけど、楽しんで踊れてるから、いいよね？

Q 毎日やる時間がなくて……。

A

う〜ん。時間がないから仕方がないと思うか、時間を見つけてでも運動して痩せたいと思うか。結局は自分次第やからなぁ……。

もちろん、ワタシも「今日はコアリズムするの面倒くさいなぁ」って思うこと、あるよ。やろうかやるまいか考えてるうちに1時間経って、「迷ってる間にできたやん!!」って自分に突っ込み入れたことも何回もある。

だから偉そうなことは言えないんだけど、「とりあえず、10分だけやろう」っていう考え方が、ワタシにはいちばん合ってる気がするな。で、10分やってる間に楽しくなってきて、結局、基本プログラム40分やり続けることもあるし、本当に疲れていたりしたら、やっぱり10分でやめるときもある。それでも、何もやらないよりは、10分でもやったほうがいいと思うでしょ？　ワタシもそう思うから「とりえず10分」、やねんな。

1日の中で、たった10分の時間が作れないことはない！　そう思えば、きっとみんなも頑張れるよ〜。

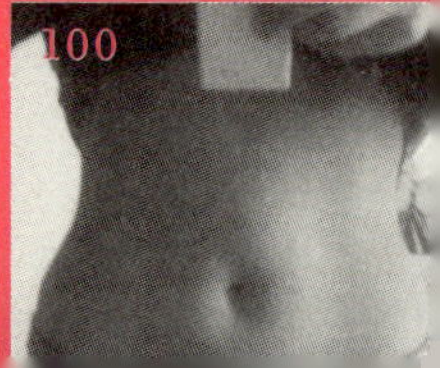

Q 腹筋に力を入れる感覚がわかりませんっ！

A コアリズムは立ったまま腹筋やってるイメージなんだけど……。わからない人は、94ページを参考にして、一度、寝転んで腹筋してみたらどうかな？ お腹に手を当てて、息をフーッて吐きながら腹筋すると、お腹はふくらんでるのにカチンコチンになるでしょう？？ えっ、ならない？ 絶対になるから、何度かやってみてぇ。

Q 夢中になると、つい、腹筋に力を入れるのを忘れちゃう！

A 鏡！ それは、絶対に鏡を見てやるべきです。
ワタシは最初から、ずっと鏡を見てやってて、ある日、後輩芸人の春ちゃん（ブログでお馴染みの！）がコアリズムをしに来たとき、鏡の前を譲ってあげたの。鏡ナシでやってみたら、確かにお腹に力は入ってるはずなんだけど、

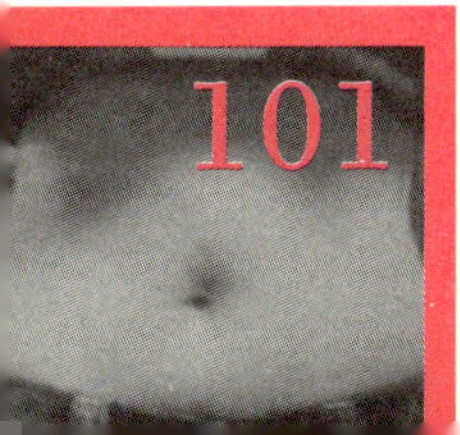

その入り方が中途半端というか、なんかイマイチで……。

コアリズムやるときは鏡を用意して、お腹の動きがよくわかるように洋服まくってやるのがええと思うわぁ〜。ちなみにワタシはTシャツをブラジャーにはさんで、お腹が見えるようにしてやってるよ。みんなも試してみてっ！

Q 腹筋に力を入れると、息も一緒に止まっちゃう

A

呼吸は大切。絶対に止めたらダメ。有酸素運動って言うぐらいだから、脂肪を燃やすには酸素が必要やねんて。だから、息は止めないでぇー。なんだったら、片足つくたんびに「フッ」、「フーッ」って吐いてもいいぐらい。そのときに、「フーッ」て声じゃなくて、息を吐く音を出すようにしてやると、呼吸を意識しやすくなっていいと思うよ。

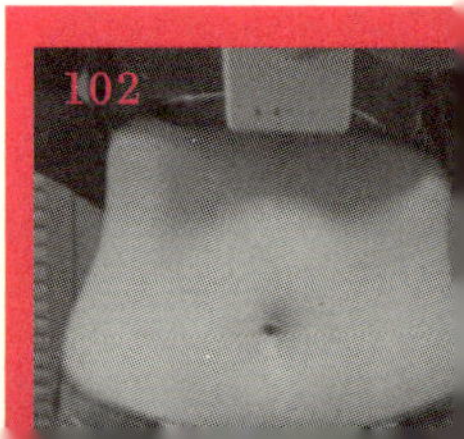

Q　コアリズムをやっていたら、腕や太ももも細くなる？

A

もちろんっ！　あの運動を40分続けて、痩せないわけがないもん。

ワタシはコアリズムをやりながらレコーディングダイエットとウォーキングを並行してやっていた時期もあったけど、それは、あくまでもサポート的な要素。やっぱり痩せたのは、コアリズムの運動が大きかったと思うよ。

コアリズムを続けてたら、太ももで引っかかってたジーパンがお尻まで上がるようになって、次にはボタンが閉まって、最後にはファスナーも余裕で上がるようになって。

二の腕もまだまだ太いけど、肉質が変わってきたというか、ぶよぶよの下に筋肉があるのがわかるから、これからも頑張ろうって思えるし。

ゆっくりでも確実に体は変わってくるから、「自分を信じて（byジュリア）」、頑張ろうな。

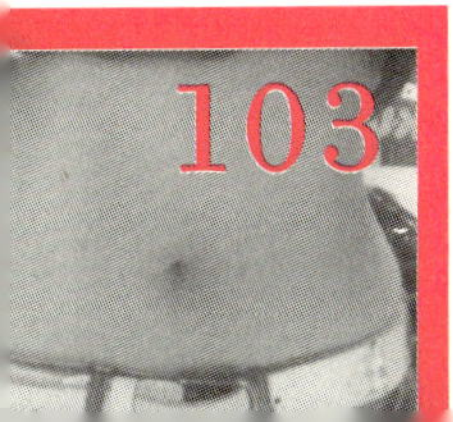

Q コアリズムは、いつやるのが効果的？

A 朝やると、体が1日中、燃焼モードになっていいって聞いたりもしたけど、ワタシは夜にやってた。「今日食べた分を消化するぞー!!」って思うことが、夜、コアリズムをやるモチベーションになってたから。それに、夜やっても、ウエストがマイナス20㎝！　体重もマイナス11kg!!　ちゃんと効果出てるから。

続けることが大事だから、無理せず、自分がいちばんやりやすい時間帯にやるのでいいと思うな。

Q やっぱり挫折しちゃった……

A それ、まだ、挫折やないで!!　ダイエットを完全にあきらめたときが挫折、っていうふうに考えよう！　コアリズムを1週間休んでも、8日目にまた始めれば挫折とは呼ばない！

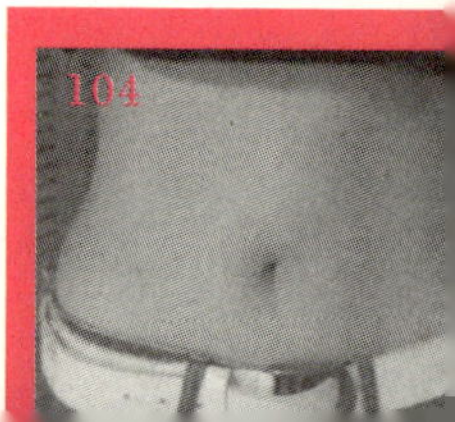

この本を読んでる人の間では、挫折って言葉、ないことにしない？
大事なのは、続けること。少し時間が空いても、これから先も続けていくこと。
それでええやんな？

Q 続けるためのコツを教えて！

A ダイエットしてるよ〜っていう気分を持続させるために、この本にも載ってる「B級○○作戦」は役立つと思うよ♪

あとは、やっぱり、ワタシが「kubireru.jp」でやってるように、写真を撮ること！ 携帯電話のカメラ機能で毎日のように撮っておくと、ウエストの変化が一目瞭然で励みになるから（この本のページナンバーの写真がそれ）。

写真を撮るときは、鏡に映った自分を撮るのがベスト！ ほぼ同じ場所で撮れば、写真の角度が揃って、比較しやすいから。他の人に写真を頼むと、サイズとか写す位置がバラバラになってしまうから、気をつけて！

Q コアリズムはどんな人に向いていますか？

A 楽しんでダイエットしたい人、みんなに向いてると思う。よく聞かれるけど、リズム感は関係ない。ワタシはダンスの経験もないし、リズム感もないけど、ちゃんとできてるからね。

もし、コアリズムを買おうか迷ってる人がいたら、今日からとりあえず腹筋10回を1週間続けてみて！　腹筋10回するのに、1分あればできるでしょ？　でも、それさえも続かないようなら、コアリズムを買ってもきっと続かない……。そしたら、もったいない。買うからには続けてほしいし、成果を出してほしい。これ、ワタシの願いやねん。

Q 1週間続けたけど、2㎝しか減りません。

A ワタシが1週間で約10㎝減ったって発表しているせいか、コレもよく聞かれるぅ。

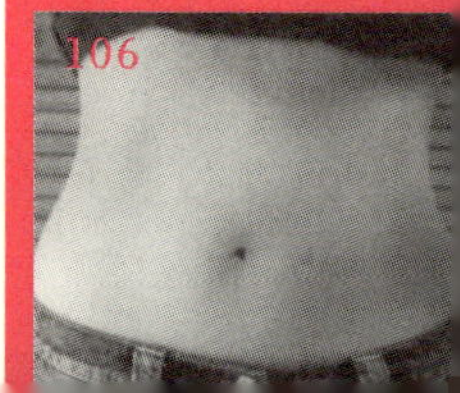

けど、減り方は人それぞれ、としか言いようがなくて、いつも困るぅ……。

よく、お肉がぶよぶよの人って、お肉が落ちやすいって聞いたことない？　ワタシがまさにそのタイプやねん！　だから、人よりも数字として変化が現れやすかった、っていうのは正直あると思う。あと、ケツが大きいから、くびれが目立つっていう身体的特徴もあるし。

だから本当は、誰かと比較しないで、２㎝しか、じゃなくて、２㎝も!!って考えてほしいねんけど……。

だって、何もしてなかったら±０㎝。だけど、コアリズム頑張ったからマイナス２㎝。これからも続ければ、さらにマイナスになっていく可能性のほうが高いんだから、自分を褒めてあげよっ！

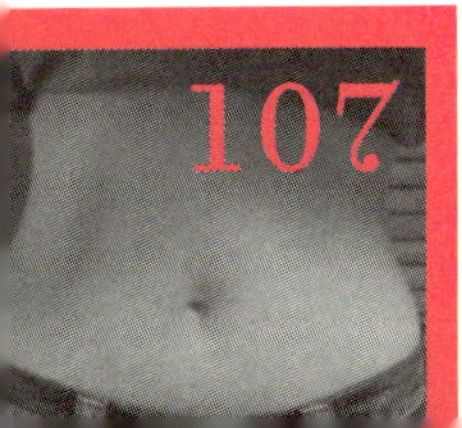

その一、
始める前のストレッチは欠かさずに。

その二、
鏡を見ながら、
お腹を意識してやりましょう。

その三、
呼吸は止めず「フーッ、フッ」。

その四、
まずは、1日10分を目標に。

その五、
毎日、写真を撮って成果を確かめて！

コアリズム
成功の鍵
5カ条

第4章

さらに成果が出る！

プラスワンテクニックを伝授

楽しく続けるために、モチベーションをキープできる方法をみんなに伝えたいっ

ヤル気にさせる、小さめジーパン

「くびれます記者会見」をしてから3週間後の4月29日。
最初は普通にジーパンを買おうと思ってたけど、試着室でふとひらめいて、
あえて、**ワンサイズ小さいジーパンを買ってん**。
お店の人に「アンタ、履けるの～?」って白い目で見られても、無視!!
小さいから、どう頑張ってもボタンもファスナーも閉まらないし、
上まで上がりきらず、股の下に隙間があるような状態（笑）。
でも、これが履けるように頑張ろうと思って、思い切って買った。
これが、大正解!!
そういうズボンが1本でもあると、成果がわかりやすくてホンマおすすめっ!

ちょこちょこ履いて「あっ、ファスナーが半分まで上がった」とか、
「ボタンは閉まるけど、ピッチピチで屈伸運動はまだできないなぁ」とか、
ちょっとずつ前進しつつ、課題は残る、みたいな感じが、
ダイエット気分を持続させるのにちょうどいいねん。
そんなことを繰り返しながら、ほぼ1カ月後の5月25日には、
そのジーパンを履いて、なんと、新幹線に乗ってたぁ〜〜〜。すごくない？
今ではそのジーパンに、余裕すら出てきてるしぃ。
ウエストとか体重の数字で成果を確認するのもいいけど、
洋服だと、実感として痩せてることを感じられるから、喜びも大きい。
ワタシはジーパンだけだったけど、ピタピタのトップスがあってもいいと思う。
誰にもわからないように、Mサイズの下着とかでもいいしなっ（笑）。

ヤル気にさせる、小さめジーパン

酒飲むだけがストレス解消じゃないよ

ダイエットする前は、食事と同じぐらいお酒を飲むのが楽しみで、
家で晩ご飯食べるときも、必ず缶ビールを飲んでた。
そんで、ダイエットを始めた当初、お酒禁止！って決めてる間は、
お酒が飲みたくて飲みたくて、しかたがなかってん。
だけど、途中からお酒も好きなときに飲もうって決めてからは、
お酒に対する執着心が不思議と弱まった。
そこで、「**飲む必要が本当にあるのか**」って、自分に問いかけてみた。
たとえば、ワタシはよくカラオケに行くんだけど、
歌を歌うのに本当にお酒が必要？って考えたら、答えは「ノー」。

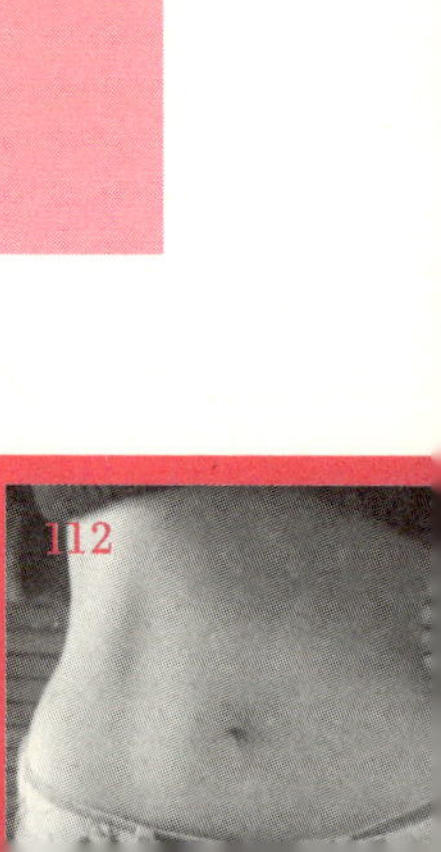

試しにカラオケ行ってお酒飲まずに過ごしてみたら、まったく問題ナシ!!
後輩が歌ってる間に、暇だから腹筋してみたら、
そこにいる**みんなも腹筋始めて(笑)**。変な集団になってもた。
今までは、お酒を飲むことがストレス解消になってるって思い込んでいたけど、
お酒飲まずに歌うだけでも、十分ストレス発散できることがわかった。
それに気づいてからは、歌ったり体を動かすことでストレス発散してる。
大好きなバッティングセンターに行って**〝妖怪アセダーク〟**になったり(笑)。
コアリズムして筋肉ついたせいか、めちゃくちゃ代謝がよくなって、
びっくりするぐらい汗をかくようになってんな。
だから、バッティングセンターへ行くと、一緒に行った後輩から
「恥ずかしいから近づかないで」って言われてしまうぐらい、
服がびしょびしょになってしまって……。でも、楽しいねん。
体を動かすまでは、誘った友人や後輩は「えぇ〜」って文句ブーブー言うけど、
行ったら行ったで、もれなくみんな楽しんでるみたいだし。
周りの友だちも巻き込んで、楽しくダイエットしような。

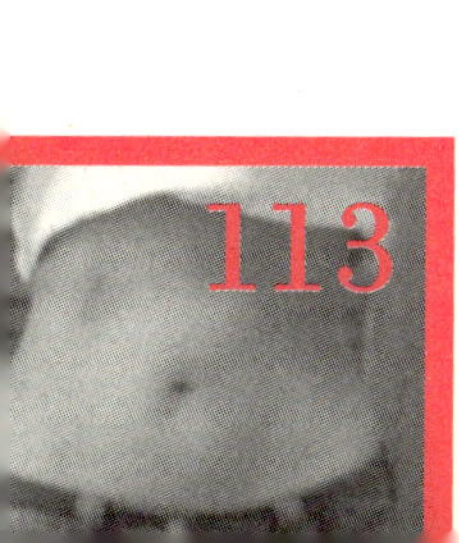

酒飲むだけがストレス解消じゃないよ

観察→分析　痩せてる人はみんな先生！

「どうして自分は太ったのか」。そう聞かれて、すぐに答えられる？

「食べるのが好きだから」、**「運動不足だから」**。

今、「うんうん」ってうなづいた人、いっぱいいると思う。

でもな、原因ってもっと小さいところにいっぱいあるように思うねん。

というのは、ワタシと痩せてる人の何が違うのか不思議に思って、

電車に乗ってるときでも、街を歩いてるときでも、痩せてる人を観察したわけ。

そしたらやっぱり、ぜんぜん違うねんなぁ。

たとえば・その①――**電車の中**

電車で座っている痩せてる人を見てみて！　みんな膝をくっつけてるから。
ほんで、太ってる人は男も女も関係なく、ほとんどの人がダラーッと座ってる。

たとえば・その②――**信号待ち**

痩せてる人は、背筋を伸ばして、姿勢よくキレイに立ってる人が多い。
ところが自分は、片足に重心かけたり、ぽこんとお腹が前に出ていたり……。

たとえば・その③――**食事のとき パート1**

「Goro's Bar」の楽屋にて。痩せてる女芸人はみんな魚の弁当を手に取り、
太ってる女芸人は、こぞって唐揚げ弁当に手を伸ばす。

たとえば・その④――**食事のとき パート2**

痩せてる人は、ゆっくりよく噛んで食べる。食事の合間に箸を置く。
でもワタシは、早食い。2～3回噛んでゴックンだし、箸は持ちっぱなし。
箸を置いたと思ったら、その瞬間には酒持ってた(笑)。
どう？　よく、ダイエットは日々の生活の積み重ねって言うけど、ホンマやな。
毎日の運動に加えて、生活習慣を少しずつ変えることも必要って思わない？
まずは、自分の身近にいる痩せている人をよ～く観察してみて～。

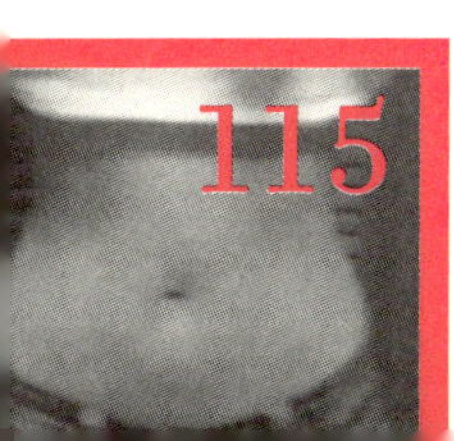

観察→分析
痩せてる人は
みんな先生！

1カ月で食生活は変えられる

コアリズムを始めて、1カ月ぐらい経ってからだったかな?
テレビの企画で、**レコーディングダイエット**をすることになってん。
普通は、何を食べたか書き出すところから始めるみたいだけど、
ワタシはコアリズムを始めたときから食事にも気をつけていたから、
ちょっと変則的だけど、**食べたものとカロリーを書くところから始めたの。**
ちょうどその時期に、これもやっぱりテレビの企画で、
ある1日に食べたもののカロリーを計算してもらったことがあって……。
なんと、ワタシ、6500キロカロリーも食べてましたぁ~。
ワタシ、すっごい飲むねん。一晩で焼酎ボトル2本空けるなんてざら。

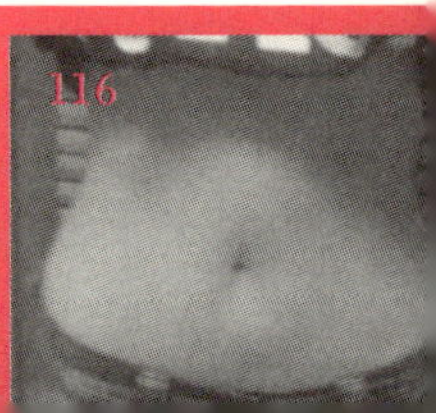

焼酎100mlが大体140キロカロリーで、ボトル1本が720mlだから、
大雑把に計算して、焼酎ボトル2本で2000キロカロリー!!
そして、飲んだ後はお約束! 〆のラーメンでドンと1000キロカロリー。
それと、これもびっくりしてんけど、菓子パンってすごい高カロリー。
だいたい、何を選んでも400キロカロリーはあって、
菓子パン2個にコーヒー牛乳でも飲もうものなら1000キロカロリー!!
いろいろ教えてもらって、自分でもカロリーブックを見るようになって、
2カ月も続けたら、本を見なくてもだいたいのカロリーがわかるようになる。
そうしたら、食事もコントロールしやすくなって、楽しくなってくるねん。
レコーディングダイエットの考案者・岡田斗司夫さんが
「ポテチが美味しいのは最初の数枚」って言ってて、ホンマ?と思ってたけど、
カロリーを気にするようになったら、「3~4枚で十分」って思うようになる。
不思議だけどホンマやねん。
カロリーとか知っていくと、食事を調整するのが楽しくなってくるのよ。
楽しいから苦もなく続くし、それが習慣になったらこっちのものやでぇ~。

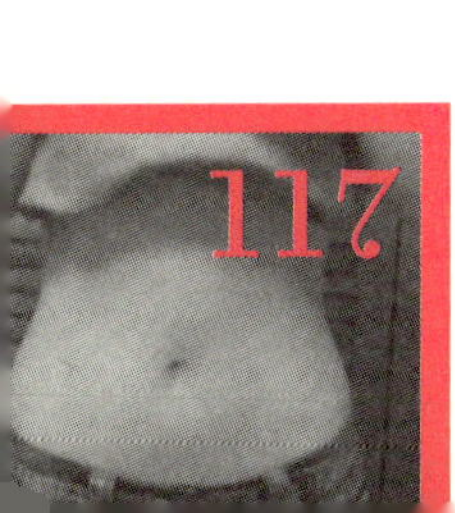

停滞期は痩せるまでの準備期間

停滞期……つらいなぁ。

頭では、停滞期があることはみんなわかってるんやんな？　ワタシもそう。

だけど、いざ、停滞期に突入したら、めっちゃブルーになる。

「こんなに頑張ってる！」、「食事だって気をつけてる！」ってウジウジ考えて、

「もっと食事減らさなきゃダメ？」とか変な方向に考えが行って、
慌てて「違う違う、**停滞期は誰にだってあるねん**」って自分に言い聞かせたり。

答えの出ない迷路に入り込んだ気分になる……。

で、結論としては、ここで踏ん張れるか諦めてしまうかで、結果が変わる。

1カ月半〜2カ月ぐらい体重がぜんぜん変わらなかったけど、

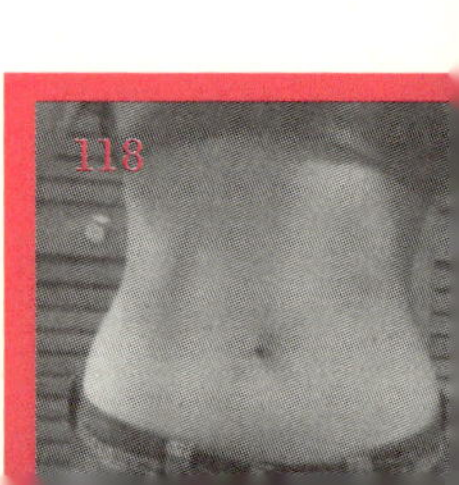

ちょこちょこ体脂肪を計っていたら、ちょっとずつだけど確実に減ってたし。

そして、2カ月ちょい手前ぐらいから急に体重がまた減りだした。

よく、体重は左下に向かってまっすぐ減るんじゃなくて、
階段状に減っていくっていうけど、アレ、本当に本当。

階段が一段下がる（体重が減る）までの期間をどう過ごすかが大事よね。

ワタシの場合は、「停滞期は次に痩せるまでの準備期間」、

「カラダにだって準備が必要やねん」、「コレ乗り切ったら痩せるぅ〜♪」

みたいな感じで、ネガティブな思考にならないように頭を切り替えた。

だって、誰にでも絶対に停滞期はあるんだから、考えてもしゃーないやん。

停滞期の間は笑ってても不機嫌になっても、減らんもんは減らん！

だったら笑って過ごしてたほうが、100倍いいのは言わなくてもわかるわな。

そうやって2カ月近く経ったら、不思議なぐらいするするって減るねん。

この驚きと楽しさを実感したら、次の停滞期はより乗り越えやすくなる。

数字という結果が出ないのに、頑張り続けるのは精神力も必要になる。

「**ダイエットは精神を鍛えること**」って考えると、高尚な感じがしてええなぁ。

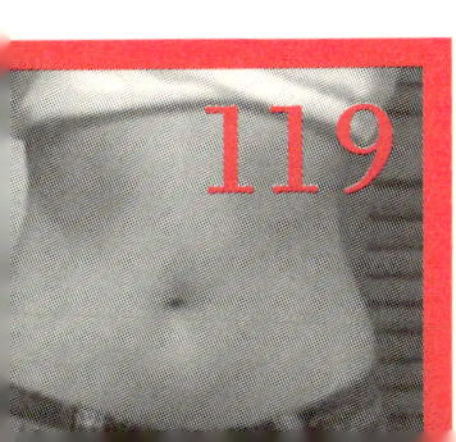

バタヤンの
B級ダイエット
作戦

01

通勤、通学で電車を使ってる人は明日から始めよう！　わざと男の人の前に立ったらアカンよ。

自分の運にまかせる作戦

ゲーム感覚でカロリー消費！

「エスカレーターに乗らないで、階段を使ったほうがいいですよ」
というアドバイスをいただいた。……1回で挫折（泣）。
なんせ、東京には大江戸線という、深～い場所を走ってる地下鉄があって、
六本木駅なんて、建物で言ったら地下4階を電車が走ってるわけ。
それはもう地獄のような階段で、上ってる途中で大後悔。
でも、階段のほうがダイエットにいいのはわかってる。
だけど、しんどい……。

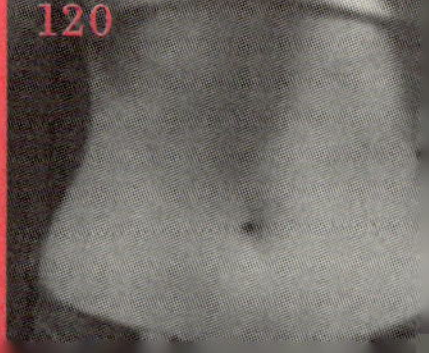

そこで考えたのが、**「自分の運にまかせる作戦」**!!

①まず、電車から降りたら後ろを振り返る。

②アナタの後ろに**女性がいたら階段**!　**男性ならエスカレーター**!

(振り返ったときに最初に目に留まった人とか、自分のルールを決めて!)

③階段の人——くっそぉ～、何で女やねん!と思いながら、エスカレーターに乗ったその女性を横目で睨みつけつつ階段を上る。「お前より早く上に行ったるからなぁ～」という気持ちで。するとわけのわからないライバル心が芽生え、階段がしんどいことを忘れられる!　ワタシもこれまで、たくさんの罪のない女性を睨みつけてきました。

エスカレーターの人——ラッキー!!　感謝の気持ちを込めて、その男性にエスカレーターの順番を何気なくゆずりましょう。ただし忘れてはいけないのが、普通にエスカレーターに乗ったらアカンということ。つま先だけを段に乗せて、足の裏の筋を伸ばしてなぁ～。

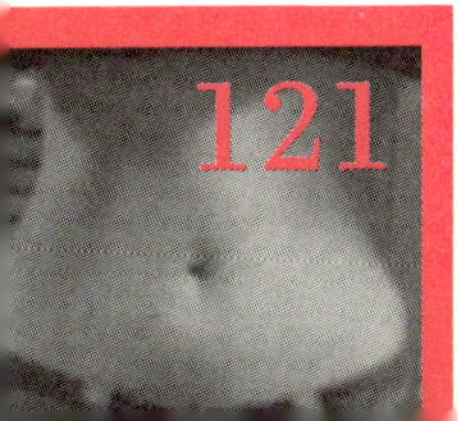

バタヤンの
B級ダイエット
作戦

02

玄関から足を一歩踏み出すときに「私はモデルよっ」と言い聞かせるクセをつけるのが長続きのコツ。

私モデルなんです！作戦

たくましい想像力が鍵を握る!?

電車の中ではつま先立ち、運よく座れたら膝を閉じて足を浮かして……。って、しんどくて、でけへんねん！　やって1日坊主、もしくは1駅坊主。だけど、移動の合間にダイエットできたら、一石二鳥やしなぁ。そこでちょっとした発想の転換。これがめっちゃ効果的♪　それは……、〝モデル〟のつもりで電車に乗るだけの「**私モデルなんです！作戦**」。どう？　ボケーッと立ってないで、モデルになった気分で立ってみて！　そしたら、背筋ピンッ！て、勝手になるから。

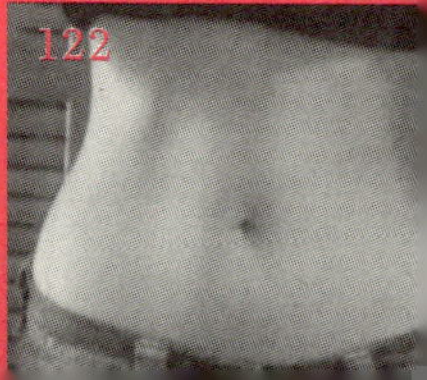

モデル気分で立つと、見た目も綺麗だし、地味に背筋も鍛えられるよぉ。

座ってるときも同じ。

ワタシはいっつも座るときに膝が20センチくらい無意識で開いてるねん。

いけないと思って意識して膝くっつけたら、けっこう太ももが痛い！

でも、**モデル気分で座ったら……。あら不思議。太ももが痛くない（笑）**。

人間って、単純な生き物やなぁ。


「はぁ。今日のカメラマン、相性悪いのよね。エビちゃんも言ってたなぁ～」

「今日の撮影はどんな水着？　またあの子、パッド入れまくるんだろうなぁ」

「あの中学生、ワタシのこと見てるぅ。女に興味持つ前に、勉強を頑張れ！」

「あぁ～。窓からの風が気持ちいぃ～」


アホやろ？って思うけど、やったらめちゃめちゃ楽しいで！

洗濯物を干すとき、掃除機かけるとき、食器を洗うとき。いつでもええねん。

思い出したときにモデルになりきってみてぇ～。

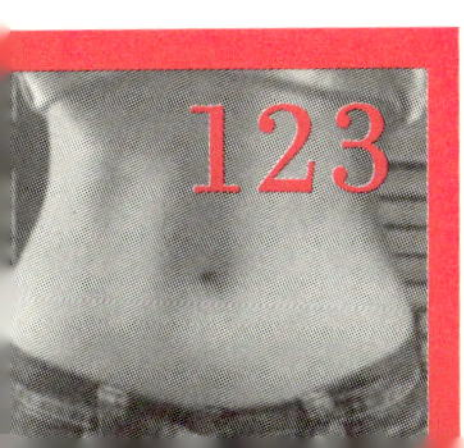

バタヤンの
B級ダイエット
作戦

03

わかっていてもダイエット中は凹むことがあるから、自分でいっぱい楽しみを増やす工夫をしような。

一石二鳥作戦！

脂肪が燃えてお金が貯まる「徒歩貯金」

「一石二鳥作戦」を思いついたのは、ある日の帰り道。
張り切って3駅前で電車を降りて歩いてたら、途中でしんどくなって。
「タクシー乗ろっかなぁ〜。嫌や！ お金がもったいない！
やっぱ2駅前にしとけばよかったなぁ。くっそぉ、気合いじゃ。歩くっ！」
そして、お家に着いてひらめいた。
「タクシー乗ったつもりで、1000円貯金しよっ」
次の日。「今日も歩いたから、タクシー乗ったつもりで1000円。きついなぁ」

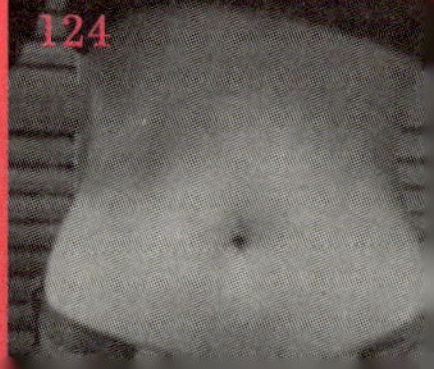

「そうだ！　２駅分（３駅前はあきらめた）で25分歩いたから、
1分10円で計算して、２５０円貯金しよっ！」
どう？　これなら、健康的に貯金ができて、一石二鳥でしょう？
目標達成とか貯金箱がいっぱいになったら、好きなことに使うってどう？
美味しいご飯を食べに行くもよし、コアリズム買うもよし。
貯金のルールは自分流でいいからぁ。
たとえば、何分歩いても１００円ルールだったら、
１００円玉の枚数数えれば、自分が何日頑張ったかすぐにわかる。
ワタシなら1分10円で、貯まった金額から自分が何分歩いたかわかるねん。
１日１００円って言っても、バカにできないよぉ。
１カ月で３０００円として1年で３６０００円。旅行に行けるもんな。
ちなみにワタシの貯金箱は、わざと、紙パックにしてるねん。なぜか？
お財布に２５０円とかぴったりの小銭がないときに、
１０００円札を入れて７５０円おつりを取れるから。箱に日にちも書いたよ！
楽しみながら健康的にお金も貯まってウハウハ！　ナイスアイデアやろ？

バタヤンの
B級ダイエット
作戦

04

ちょっとしたアイデアで食事のストレスは減らせる！ おいしく食べて痩せられる生活を目指そう!!

バナナアイス作戦

空腹の友は美味！

バナナアイス！　懐かしくない？
小さい頃、割り箸にバナナ刺して、冷蔵庫で凍らせて食べへんかった？
くわばた家の3兄妹は「**バナナアイスやぁ〜**」って無邪気に喜んでたな。
ダイエットを始めてから、また思い出して作ってみましたぁ。
ただし、大人ヴァージョン。うっふん。
作り方は……、作り方とも呼べないほど楽チン。
バナナを2〜3センチの輪切りにして、ラップして、冷凍庫へ。以上。

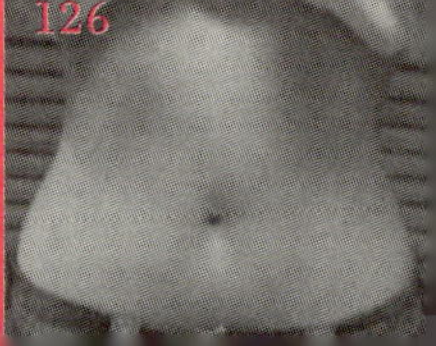

簡単♪　美味♪　低カロリーで満足感もあり♪

普通サイズの**バナナ1本が75～100キロカロリー**（大きさによって違う）、そうすると、1本を5等分にしても、1個が大体15～20キロカロリー。

な、ヘルシーやろ？

昼間、どうしてもアイスクリームとか甘いものが食べたくなったときに、
1～2個を味わって食べる。

夜9時をすぎて、どうにもこうにも空腹が我慢できないときに、
運動をしたご褒美として、1個だけ食べる。

ダイエットは我慢することと違うから、少しの息抜きは許そっ！

甘いお菓子がどうしても食べたくなったときにバナナアイスを1個食べて、
ひとまず自分を落ち着かせる。そういう取り入れ方でもいいと思うしぃ～。

バナナなら甘さもあるし、凍らせた食感もクセになるから試してみてぇ。


ほなっ！　とりあえず、バナナを買いにダッシュ!!

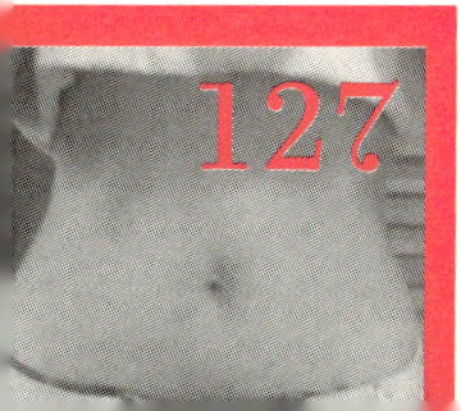

バタヤンの
B級ダイエット
作戦

05

いつものウォーキングにもひと工夫。目的をもって歩けばあっという間に時間は過ぎてしまうよ〜。

鈴木さんウォーキング

ひとりオリエンテーリング!?

30分歩くのも面倒くさかったり、なかなか時間が経たないときってない？
そんなときにこそ、**「鈴木さんウォーキング！」**がおすすめ！
意味不明……？　説明すると、日本には鈴木さんって名字が多いはず。
だから、**歩きながら「鈴木」って表札のお家を10軒探すねん！**
ワタシが最初にやったとき、鈴木さんって家が、ほとんどなくて……。
山崎さんならいっぱいあって、途中でめっちゃ後悔。
そもそもこのウォーキング法を思いついたのは、歩いているときに

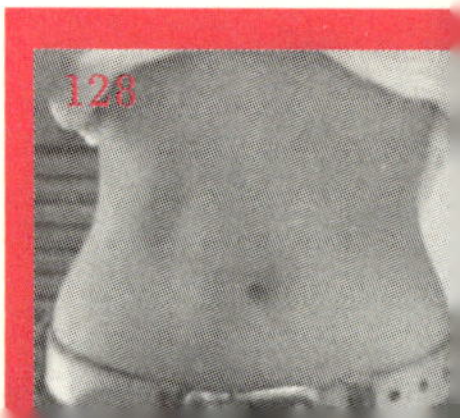

50m間隔で公衆電話を4つも発見したとき。今どき珍しくない？
それで、「公衆電話を10個見つけたらダイエットは成功する」って、決めてん。
だけど、探すと、ない。交番で「公衆電話どこですか？」って聞いたもん。
ただ、10個目を見つけたときの喜び!! あんまり嬉しくて、
公衆電話から自分の携帯の留守電に「見つけたでぇ〜」って入れてもた(笑)。
この経験をヒントに、鈴木さんならすぐ見つかるかなぁと思ってんけど、
初回の「鈴木さんウォーキング」には、約2時間もかかった……。
けど、達成感あるし、意外と楽しいのよ。知らなかったお店も発見できるし。
鈴木、田中、山田、佐藤、いろんな名字でやってみて！
高橋、渡辺、ありそで探すとなさそうな名字やったら5個でもいいと思うし、
郵便ポストを10個、パン屋さん5軒、電柱50本！ベンツ10台とか、
自分が楽しくなるようなお題を、住んでるエリアも考えながら決めてな〜。
ち・な・み・に、ワタシの名字・くわばたは、やめたほうがいい。
桑畑でも見つからないのに、ワタシのは桑波田やから。
どこまで行っても見つからず、完全にプチ家出になるから気をつけてなぁ〜。

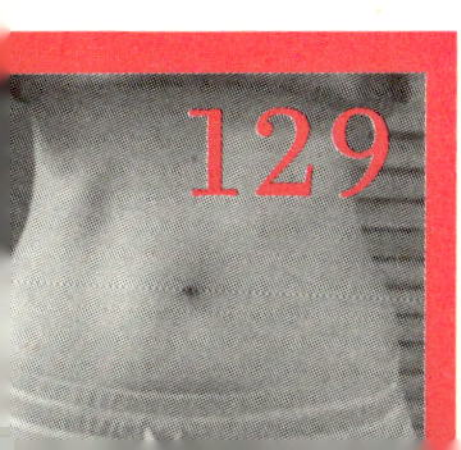

証言者_2

菅ちん先生こと
ホリプロマネージャー　**菅野雅之**

Q. なぜ、くわばたりえは太ったと思いますか？
酒を飲んだ後に必ずシメでラーメンを食べて、餃子も注文するから。

Q. ダイエットを勧めたことはありましたか？
ありましたが、にんじんをぶら下げないと……。今までの彼女は、テレビの企画じゃないと真剣に耳を傾けてくれなかったので……。

Q. 太っていた頃の印象深いエピソードを！
スタイリストさんが「ズボンのサイズがない」と愚痴をこぼしていた。

Q. 今回のダイエットが成功すると思っていましたか？
ここまで成功し、反響を呼ぶとは思わなかった。ここだけの話、彼女は自分に甘い部分があるので……。

Q. ダイエット中のくわばたりえの様子は？
以前のダイエットは大好きな鶏の唐揚げを我慢するなど食事制限があり、かなりつらかったと思う。しかし今回は、サルサパーティーに出かけるなど、楽しみながら取り組んでいた。

Q. ぐんぐん痩せていく彼女を見て、どんなことを思いましたか？
綺麗になっていったなぁと……。いや、本当にそう思いました。

Q. リバウンドせずにいられるのはなぜだと思いますか？
ブログを始めたことによって、読者からのコメントに支えられているから。

Q. 痩せてから何がいちばん変わりましたか？
洋服にも関心が出てきたように思います。今まではスニーカーだけだったのに、最近はブーツなども履いています。

第5章
もう絶対にリバウンドはしません宣言！

くわばたりえは
数年後もリバウンドし
ないことを
ここに誓います!!

ワタシはもう、太らない!?

みんなのためにも、リバウンドはせぇへんよ〜

繰り返しになってしまうけど、ワタシな、ホンマにみんなに助けられてん。
ブログに寄せてもらったみんなのコメントで
励まされること、目が覚めること、ひらめくこと、いっぱいいいっぱいあった。
今回、「人生最後のダイエット」って強い決意で望んではいたけど、
コアリズムで「くびれます宣言」した後も、本当は**不安で不安で**仕方なかった。
それはやっぱり、今までに何度もリバウンドをしてきたっていう
マイナスイメージがあったからだと思う。

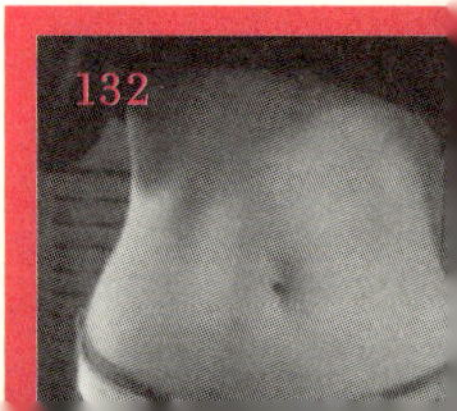

その反面、食事抜けばなんとかなるかなぁって、アホなことも考えてた。

今まで痩せたのは〝食べないダイエット〟ばかりだったから……。

そんな方法でしか痩せたことがないから、それしか考えられへんねん。

だけど単純な話、食事を抜けばまたリバウンドする可能性が高いのにな。

いつもやったら、そのことに気づかず食事制限に突っ走ってたと思う。

だけど今回は、みんなからの助言やいろんな人との出会いがあって、

〝食べながら健康的に引き締めるダイエット〟にたどり着くことができた！

「痩せるまでビール飲まないって書いたのに、一生ビールを我慢し続けられるわけじゃないから、これからは適度に飲みます」ってブログに書いたとき、

「我慢は体にも心にもよくないよ」とか「ちょっとぐらい大丈夫」とか、
温かい言葉をかけてくれて、本当にありがとう！　あれでワタシは変われた。

そのときの感謝の思いがあるから、ワタシがまずはダイエットに成功して、
リバウンドしない姿をみんなに見せたいと思ってるねん。ホンマの話。

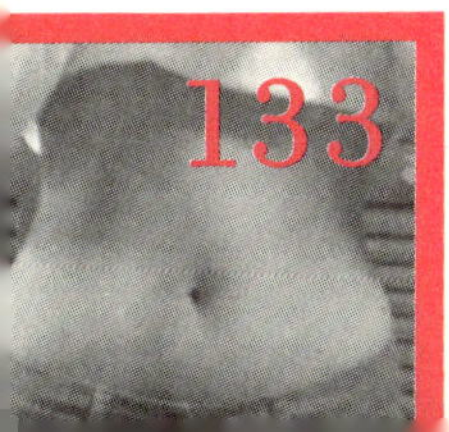

ゆっくり、のんびり、絞り込もっ

生活習慣を変えるのに時間は必要だから

いついつまでに何kg痩せるって目標を立てるのは、決して悪いことじゃない。

だけど、目標を高めに設定しすぎると、到達できそうにないとわかった時点で、「もういいや」って、投げ出してしまわへん?

そうしたら今までの努力も水の泡になって、何の意味もなくなっちゃう。

そうなるぐらいなら、始めから目標は低くしておいたほうがいいと思うねん。

なんなら、低い目標をクリアするたび、**自分にご褒美**あげてもいいぐらい(笑)。

1カ月に1kg痩せるって目標を立てて、1・5kg痩せられたらご褒美、とか。

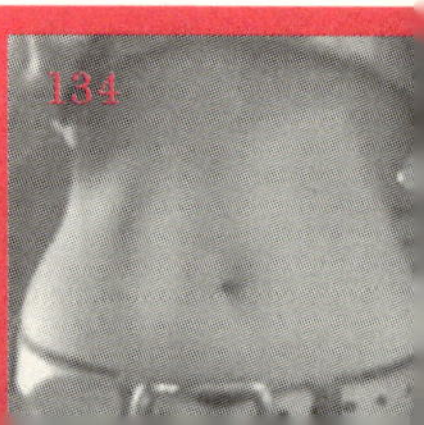

そうやって目標を低め設定にすると、もう1個メリットがあるねん。

結局ダイエットというのは、今までの生活習慣を改めるということ。

イメージとしては、太りやすい生活をしてたのを元通りに戻すという感じ。

それが習慣になれば、結果、リバウンドもしにくいわけでしょう?

でもな、生活を変えるには、やっぱり時間が必要になってくる。

1週間ぐらいでコロッと生活変えられるなら、そもそも最初から太ってないし。

ダイエットしている途中で、いろんなことに気づいていくねん。

食事日記をつけて「このとき、そんなに食べたくなかったな」って納得したり、

「あの料理、900キロカロリーするくせに味はそこそこやん」と思ったり。

そうやって、実感としてきちんと受け止めて自分の中で整理がついてはじめて、
その習慣が自分の日常になるというのが、ワタシなりの結論。

だから**焦らないで**、1カ月に0・5kgでも1kgでもいいからマイナスにして、
今以上、プラスにしないことだけを目指してほしい。

常にダイエットに意識を向けていれば、必ず、健康的に痩せられる日がくる。

何度も失敗したワタシにもできたんだから、みんなも絶対にできるってー。

目指せ! スカートデビュー

徐々にオンナモノが復活!!

正直に白状すると、痩せる前は服のサイズが13〜15号ぐらいあって、スタイリストさんが男物のズボンを用意していたこともしょっちゅうでした! それが痩せていくにしたがって、徐々に女物が復活してきて、11号が着られる頃にはちょっとオシャレな短パンが着られるようになって、**9号サイズ**が普通に着られる今は、スカートを履くこともたびたび!!「痩せるまでは可愛い服着せてあげられなくて、私も苦しかったんだ」ってスタイリストさんに言われたときは、ホンマ、涙出そうになった。

と、ここまでは仕事のときの話。
プライベートはというと、**洋服を買いに行くのがめっちゃ楽しくなってる♪**
前までは、「どれなら入るやろ」が服選びの基準だったけど、
今は、「あの服可愛い！」と思ったら「試着いいですか？」って聞けるねん♪
これは、大きな違いやでぇ〜〜〜。
痩せてから、可愛いスカートもこっそり買ったんだけど、
まだ、恥ずかしくて街中デビューはしてへんのよぉ〜〜〜。
「アイツ、痩せたら女っ気出しやがって」みたいに思われたら恥ずかしいやん？
だから、テレビで徐々に慣らしていって、
「あの子はスカート履いてて普通」みたくなってから街中デビューしようかと。
あとは、グラビア撮影でビキニ姿をちょいちょいお披露目してるので、
今年の夏はプライベートでもビキニデビューも目指してます!!
そうやって今までの自分にはなかった要素が増えていくと、
半分照れながらも、もう半分はまんざらでもなかったりして、
これまで以上に毎日が楽しくなってくるねんなぁ。

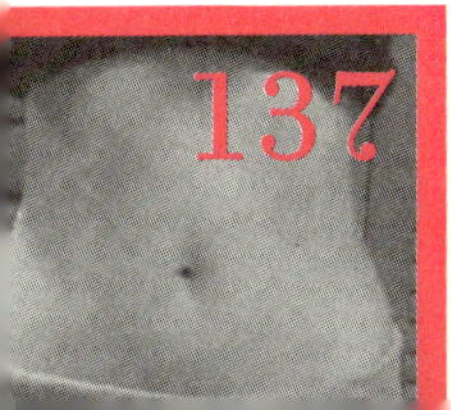

自分を好きになろうなぁ〜

ワタシのためにキレイになろう！

痩せてみて思うこと。前よりも、確実に自分を好きになってる。ナルシスト的に、痩せた自分の姿を鏡に映して満足するとかではなくて、気持ちの部分っていうの？　**自分を許せるようになった**というか……。たとえば前だったら、食べ過ぎるたびに自己嫌悪に陥ってたところが、今は「コアリズムやれば大丈夫」って思えるから、いちいち落ち込むことがなくなって、凹む回数もグッと少なくなった。

あとは、ダイエット前はお酒を浴びるほど飲むのがストレス発散だと思ってて、

翌日、二日酔いで具合悪くなったりなんか、しょっちゅうだった。
だけど今は、毎日のように体を動かしてるからストレスも溜まりにくいし、
普段から歩く機会も増えて、お酒お酒ってあんまり思わなくなった。
振り返ってみると、他に興味のあることがなかったから
お酒飲むのが楽しいって思い込んでただけなのかもしれない。
コアリズム始めてから、サルサパーティーに参加するようになってんな。
最初は踊るのが恥ずかしくて、端っこでビールをちびちび飲んでたわけ。
それが今では、ビール飲んでる時間があったら踊りたい！
端っこでビール飲んでるだけなんてもったいない!!　とまで思うようになった。

人間て、変わるねんなぁ。

ワタシ以外の人にとっては、どうでもいい変化ばかりかもしれへんけど……。
でも、失敗ばかり繰り返してきたワタシでも変われたことは事実！
この事実をみんな信じて！
そして、みんなも自分が変われるって、信じような!!

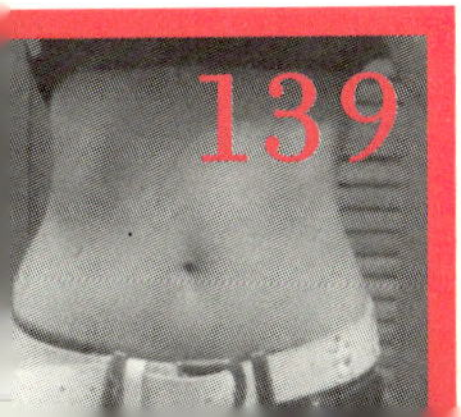

おわりに

食べながら、楽しく健康的にみんな痩せよな〜

最後に、ちょっと真面目な話をさせてください。
ダイエットの本を出した人は、必ずリバウンドする！
たくさんの人に言われたけど、ワタシは絶対にしない自信があります。
なぜなら、今回で正しい健康的な生活を手に入れたから。
今までワタシはたくさんダイエットしてきたけど、
それは全部間違ったダイエットをしてきてた。
早く痩せたくて、大好きなお肉もお米もビールも一切禁止。
順調に体重は減ったけど、20日ぐらい経ったところで感情がわぁ～っと噴き出して、収拾がつかなくなってしまった。
気づけば、唐揚げをたらふく食べてビールをガンガン飲んで……。
そして、30分後にはワンワンなきながら指突っ込んでトイレで吐いてた。
そんなバカなダイエットで体重は減ったけど、
髪の毛は抜ける。生理は止まる。肌はボロボロ。常にイライラ。
目標体重になったら、太っていたときと同じ食事に戻っていって
気づけば体重も元に戻ってる……。

たぶん、ワタシだけじゃない。
同じような経験している人は、たくさんいると思う。

逆に、ダイエットに張り切りすぎて3日坊主で終わってしまったり……。
ワタシが今回のダイエットでわかったコト。
それは、リバウンドせず10年後もキープするには、
心も体も無理なことせずにダイエットをするってこと！

今までは1カ月で10kgを無理やり落としてた。
そのバカな1カ月は一生続けられる生活なんてしてない。
10カ月かけて一生できる生活を手に入れよう。
「嫌だ！　私は今すぐ痩せたい!!」って思うかもしれへん。
それじゃ、前のワタシと一緒。絶対にリバウンドしてしまうんやで。
10年後、20年後、健康な体で好きなもの食べて、着たい洋服着たいやん。
だったら、半年、1年、2年かけて、ゆっくりゆっくりゆっくり
健康的な生活を手に入れて、なりたい自分になろう！
ダイエットって痩せることじゃないってわかった。
健康的な心と体を取り戻すことやってん。
普通に食べて、運動する。こんな当たり前のことに今まで気づかなかった。

それに気づかせてくれたのはバタヤンファミリーのみんなです。
本当に本当にありがとう。
みんなのお陰で本を出版することができました。

ワタシにとってこの本は、みんなへの恩返しです。

ひとりでも多くの人が間違ったダイエットをやめて毎日楽しく過ごしてほしい。


ダイエットは苦しいものじゃない。そのことに気づかせてくれたヒロコ先生、無理は禁物と教えてくれたバタヤンファミリーのみんな、ありがとう。

仕事場でダイエットの話ばかりするワタシに付き合ってくれた相方の小原さん、菅ちん先生（マネージャー）、ヘア&メイクの萱原リサちゃん、スタイリストの池田木綿子さん、それに岡戸広光さん、ありがとう。

少しずつ引き締まっていくワタシを「んまぁ、りえちゃん、キレイ～」と褒めておだてて木に登らせてくれたお父さん、お母さん、ありがとう。

ホンマにみんな、ありがとう!!


たくさんの人に感謝を込めて……

くわばたりえ

クワバタのくびれダイエット

発行日　2009年6月1日　第1版第8刷

著者　くわばたりえ

撮影　塔下智士
アートディレクション　細山田光宣（細山田デザイン事務所）
デザイン　松本 歩（細山田デザイン事務所）
編集協力　今富夕起
スタイリング　池田木綿子（luna luz）
ヘアメイク　萱原リサ（SUGAR）
沖縄ロケコーディネート　永井清人（オキナワロケーションサービス）
制作協力　株式会社ホリプロ／株式会社アドフロンテ　岡戸広光
提供　株式会社タイプバンク

編集　柿内尚文

衣装協力
〈表紙〉
フィットネスウェア（ブルートップス、ブラックパンツ、シューズ）…チャコット/tel:03-3476-1311
〈帯〉
ワンショルダードレス（シルバー）…TADASHI/tel:03-5413-3278
〈本文中〉
ジュエリー付きサンダル（ゴールド）…rev k shop/tel:03-3407-0131
メガネ…JIN's GLOBAL STANDARD/tel:03-3479-4848
アクセサリー…ルイ・ヌーベル/tel:03-3409-6137
フィットネスウェア（ピンクセットアップ）…ボディーアートジャパン/tel:03-5794-5455

発行人　高橋克佳
発行所　株式会社アスコム
〒105-0002
東京都港区愛宕1-1-11 虎ノ門八束ビル
編集部　TEL:03-5425-6627
営業部　TEL:03-5425-6626／FAX:03-5425-6770

印刷・製本　中央精版印刷株式会社